KARLCHENS VERSAMMELTE WEIBERGESCHICHTEN

Wertes Lesepublikum!

Mein Freund Karlchen, der sehr schüchtern ist, hat mir gestattet, gewisse Episoden aus seinem Leben in einem kleinen, auserwählten Kreise zum Vortrage zu bringen.

In diesem Sinne: Tritt vor den Vorhang, liebes Karlchen!

Karlchen stellt sich vor

Ich zog mir einen neuen Mantel an
und nahm auch für den Kopf den grünen Hut.
Und siehe da: Schon war ich ganz ein andrer Mann!
Die neue Schale stand mir wirklich gut.

Drin ging ich aufrecht und mit stolzen Blicken,
den Rücken grade und nicht mehr gebeugt.
Das fand bei vielen Damen rasch Entzücken.
So manche hat bewundernd sich gezeigt.

Nun bin ich wer und kann's fast selber glauben.
Ja, Kleider putzen Leute fein heraus!
Mein Selbstbewusstsein lass ich mir nicht rauben:
Ich zieh den neuen Mantel nie mehr aus!

Sie

Sie war die schönste aller Frauen -
von jeder Seite gut gebaut!
Ein Prachtstück, herrlich anzuschauen,
und obendrein noch meine Braut.

Sie war die kesseste der Bienen,
mit einem tiefen Dekollete,
mit goldnen Löckchen, Engelsmienen
und einem Hang zum Portemonnaie.

Doch nicht dem ihren! Leider meinem!
Sie trieb mich fast in den Ruin,
ein Umstand, der noch zu beweinen -
doch zog's mich mächtig zu ihr hin.

Sie hatte elendslange Beine
und roch nach Flieder und Jasmin.
Oft aß sie Pralines, ganz kleine,
kraulte ihr Hündchen Fridolin.

Geduldig war sie, ach, mein Engel!
Am Sonntag spielte sie gern Golf.
Sie hatte wirklich keine Mängel -
nur diesen einen: Sie hieß Rolf.

Ruth

Mit Ruth ging's gut, ne ganze Weile.
Sie war ein Feger - Mann, oh Mann!
Und Wäsche trug sie: Ziemlich geile,
wovon man oft nur träumen kann!

Doch leider war ihr Pitbullköter,
der Hasso, grad mir spinnefeind!
Es knurrte dieser Schwerenöter
noch jedes Mal, wenn wir vereint.

Das trieb die Spannung auf die Höhe,
doch leider nicht mein bestes Stück!
Und letztlich hatte er auch Flöhe,
drum zog ich langsam mich zurück.

Noch heute fletscht er wild die Zähne,
sieht er mich auf der Gasse wo -
und Ruth, die geile, wunderschöne,
zeigt ihre Wäsche Angelo....

Sofia

Sofia war ne ziemlich Schlaue -
sie hat in Oxford ja studiert,
extemporierte oft ins Blaue,
hat laut im Zimmer deklamiert.

Die Lesart aller Paragraphen,
die hatte sie ganz munter drauf.
Nur wollte sie mit mir nie schlafen!
Zu Anfang nahm ich's noch in Kauf.

Doch als wir uns schon länger kannten,
hab im Papierkorb ich entdeckt
in Briefen, heimlich zugesandten,
was hinter ihrer Kälte steckt.

Sofia war ganz fix versprochen
'nem Anwalt, wohnhaft dort in Bonn!
Da hab den Braten ich gerochen
und machte leise mich davon.

Elsebeth

Die Elsebeth, die Elsebeth,
die wirkte sehr gepflegt, adrett,
mit wasserblauen Strahleaugen,
die schlichtweg zum Verlieben taugen.

Sie blickte tief in meine Seele,
ob da nicht wo ein Feuer schwele:
Verdrängtes Wünschen, Wollen, Hoffen.
Und danach fragte sie ganz offen.

Ich war verzückt im Herzen, still:
"Die scheint zu wissen, was sie will!"
Ich wollte auch. Und deshalb nahm
sie mich nach Haus zu sich. Doch kam

es dann ganz anders, als ich dachte.
Denn als ich dort die Tür aufmachte,
stand auf dem Schild: *Ich bin erfreut,*
ab heute gern ihr Therapeut!

Was Elsebeth sensibel spürte,
auf ihre Couch mich schon auch führte:
Sie wusste zwar um jede Drüse -
doch leider nur zwecks Analyse!

Yasmine

Yasmine war die Frau von Ömer,
und Ömer war ein Orientale,
der handelte mit Kebab, Döner,
verkaufte Pizzaschnitten, schmale.

Sie war verschleiert, wie sie sollte,
das ganze Jahr, ob Sommer, Winter.
Doch wenn sie ihre Augen rollte,
dann ahnte man schon das Dahinter.

Beflügelt waren die Gedanken
allein durch ihre Silhouette!
Da kam moralisch ich ins Wanken,
und Ömer ahnte das, ich wette!

Denn eines Tages lagen Messer,
sehr scharfe, 'rum am Kebabstand.
Da dacht ich mir: Das lass ich besser,
bevor ich noch im Kebab land!

Lola

Mein altes Navi macht mir Kummer,
seit ich mit Lola eine Nummer
im Heck des Wagens hab geschoben:
Es hält nicht mehr, wo's sollte, oben!

Zerstörerisch ist oft das Lieben.
Das hat schon Shakespeare gut beschrieben.
Othello, der der Gattin grollte,
ist keiner, den ich kennen wollte!

Nicht mal Desdemona, die Gute!
Was sagt sie nichts, die dumme Pute?
Auch Heinrich Faust, vor dem's mir graut,
hat ganz die Lage nicht durchschaut.

Der Teufel steckt oft im Detail,
das ist so mit der Liebe, weil
die Sache ja sonst einfach wär!
Wo krieg ich jetzt ein Navi her?

Samantha

Samantha war Köchin, mit Leib und mit Seele,
vor ihr war nichts sicher, kein einz'ges Rezept!
Sie kochte schlicht alles: Von Schuh bis Garnele!
Sehr rasch wurde ich so zu ihrem Adept.

Ein Küsschen in Ehren! (Sie war bei der Suppe.)
Ich schälte Kartoffeln. Das hat sie verlangt!
Gleich riesige Mengen, als wär'n wir ne Truppe!
Dieweil hat sie um ihre Muffins gebangt.

Und als sie sich bückte, zum Backrohr, dem vollen,
da war mir ihr Anblick im Schürzchen zu viel.
Das deckte nur wenig die Beine, die tollen:
Auch nicht, wo sie aus warn - ich ahnte das Ziel!

Ich ließ die Kartoffeln und stürzte zum Herde,
inzwischen von allem, was störte, befreit:
Da wies sie mich ab mit erzürnter Gebärde -
die Brandblasen unten, die spür ich noch heut.....

Martha

Ich gebe zu, es war mit Martha
ein bisschen streng. In ihrer Kammer
durchlitt ich manchen fiesen Jammer
und exerzierte wie in Sparta!

Jedoch, ich dachte mir: Nicht jeder
kommt in Genuss von solchen Sachen!
(Ich zähl nicht zu den Nervenschwachen)
Das war schon was! In Lack und Leder

bekam ich gründliche Erziehung
und lernte, wie ein Hund zu bellen.
Doch gab's da ganz spezielle Stellen,
die litten unter der Bemühung,

denn manche Pose war Verrenkung -
und Martha selbst war kaum zu zügeln!
Sie drohte, mich zu überflügeln -
da musste sie in die Versenkung!

Stattdessen fing ich mir was an
mit ihrer Nichte Eliane.
Doch denk ich immer noch ganz gerne
an meine Martha, aus der Ferne....

Lisa

Mit Lisa ging's mir wie in Pisa:
Der Turm stand schief! (Ein Lump, ein mieser.)
Er ließ sich auch nicht grade richten,
zu gar nichts Weiterem verpflichten.

Da hab ich mir was angetrunken,
bin wie Venedig drauf versunken
in „Aqua Alta“. Blöder Fusel!
Die Lisa nützte meinen Dusel,

schlich sich davon auf leisen Sohlen.
Dann hat man mir das Geld gestohlen.
Ich glaub, das waren Liebesdiener
mit Namen Gina oder Tina.

Na ja, vielleicht sind das Lappalien -
doch ich fahr nie mehr nach Italien.

Eliane

Eliane war Französin,
richtig so aus Frankreich wo -
keine Frau, auf die ich bös bin.
Eine Zeit lang war ich froh,

weil das Training fremder Zungen
meinem Ouevre gut bekam.
Man kann sagen, sehr gelungen
war die Art, wie sie mich nahm!

Meistens denk ich ja, die Frauen
sollten nicht den Mund auftun,
außer, wenn sie reizvoll schauen
oder gehn auf Stöckelschuhn!

Aber Eliane exotisch
nannte "Charles" mich! (Oui, mon coeur?)
Dieses fand ich höchst erotisch.
Ich verfiel ihr mehr und mehr.

Schließlich wusste sie dann jeden
Cent aus mir heraus zu ziehn,
um nach langem Bitten, Reden
von daheim mit mir zu fliehn.

Und so flohen wir und flogen
ganz weit weg, bis nach Dom.Rep.
Dort hat sie mich gleich betrogen
mit dem Lift-Boy. Oh, ich Depp!

Rosina

Rosina hatte langes Haar,
zu einem Pferdeschweif gebunden,
was einerseits erotisch war,
doch kämmte täglich sie drei Stunden!

Ihr reichte bis zur halben Wade
die Mähne, hat sich leicht verheddert.
Zum Lieben war sie sich zu schade –
das hätte die Frisur zerfleddert!

Und gleich der Loreley am Felsen,
hat sie mir rasch den Kopf verdreht -
kam wie Trafalgar über Nelson:
Als ich's bemerkte, war's zu spät!

Silvia

Silvia war eine Spröde,
doch ein echter Fußballnarr.
Damals war ich ziemlich blöde,
zirka dreiundzwanzig Jahr:

Frisch verliebt und unerfahren
wollte ich ihr Herzblatt sein!
Ihr die Lieb' zu offenbaren
schrieb ich in das Team mich ein.

"FC - Vorwärts" hieß die Truppe,
spielte in der Unterliga.
Fußball war mir ziemlich schnuppe,
doch wir wurden dreimal Sieger,

führten schließlich die Tabelle!
Und ich führte Silvia,
schoss am Spielfeld scharfe Bälle,
war bei ihr dem Freistoß nah.

Fühlte mich so dicht am Ziele,
doch Probleme mit dem Fiskus
und ein wackliger Meniskus
warn das Ende aller Spiele.

Selma

Mit Selma fuhr ich nach Berlin.
Ich dachte, eine kleine Runde
mit einem Boot und auf der Spree
hätt eine Wirkung, ne profunde.

Der Stadtplan war daheim geblieben.
Ich wollte bei der Friedrichsstraße
beginnen mit dem Defilee
der Stadt. Doch sah im Übermaße

ich Straßen, Gassen, kreuz und quer.
Zuletzt, da wusst ich gar nicht mehr,
wo ich mit Selma mich befand.
(Im Westend irgendwo ich stand.)

Da war die Selma doch verstimmt
und haute, weil sie so ergrimmt,
mir schließlich heftig eine runter.
Was nützte mir mein Plan, mein bunter?

Der lag daheim im Arbeitszimmer!
Mit Selma traf ich mich dann nimmer.
Und überhaupt: Mit Städtereisen
kannst du den Weibern nichts beweisen!

Ob München, Mannheim, Köln, Berlin:
Das lass ich lieber sein. Ich bin
schon sauer, wenn ich einen Plan seh -
und fahre nur noch an den Wannsee.

Jeanette

Jeanette war nett, ganz unbestritten,
sie hatte ganz aparte - Sitten,
nicht aufdringlich, dezent und niedlich,
je nach Betrachtung unterschiedlich.

Doch wünschte sie als Liebeslohn
von mir etwas aus Silikon.
Das heißt, ich sollte es bezahlen,
um dann mit ihr ringsum zu prahlen.

Sie war ein Aufputz, zweifelsohne.
Doch kümmerte sie nicht die Bohne,
dass nun ihr Busen, der in Form,
mein Konto sprengte ganz enorm!

Als nächstes wollte sie ein Lifting,
wodurch der Haussegen bald schief hing.
Sie ließ die Beine sich verlängern,
kurz drauf die Taille sich verengern,

die Nase kürzen, schmäler machen,
zuletzt ein paar intimre Sachen
sich vom Chirurgen faconnieren,
um abends sie mir vorzuführen.

So nach und nach hat meine Braut
sich optisch völlig umgebaut.
Bis ich zuletzt sie nicht mehr kannte,
versehentlich dann "Julia" nannte!

Das hat Jeanette so sehr erbost,
dass sie mich rauswarf - unbehost.

Anke

Zum ersten Mal sah ich die Anke
und dachte gleich: "Oh Gott! Nein danke!"
Doch war am Tisch ich so gereiht,
dass sie mich sah, die ganze Zeit.

Nun hieß es also: Höflich bleiben,
ein wenig lächeln, Small-talk treiben.
So plauderten wir das und dies,
bis es dann blöderweise hieß

im Saale wär jetzt Damenwahl.
Wer wählte mich? Nu ratet mal!
Natürlich! Wer denn sonst? Die Anke!
(Und sie war wirklich keine Schlanke!)

Sie schleifte mich zum Tanzparkett,
wo ich mich gern verkrümelt hätt.
Nur leider, ihre Oberweite
umfasste mich von jeder Seite.

Der Fluchtweg war mir abgeschnitten,
und, ausgeliefert ihren Tritten,
ergab ich mich dem Schicksalshaften.
So geht es den Dahingerafften!

Lang war der Tanz, die Nacht noch länger,
doch wurde mir noch sehr viel bänger,
als sie befahl (bei Frühstückseiern):
"Wir könnten doch Verlobung feiern......!"

Beata

Sie nannte sich Beata
und bestand darauf,
denn sonst gab's ein Theater
und noch obendrauf
drei Wochen böses Schmollen,
kein Partei'nverkehr!
Da war dann nichts zu wollen -
es ging gar nichts mehr.

Sie war auch sonst sehr eigen,
weil von blauem Blut.
Nie durfte man ihr zeigen
Trauer, Schmerz und Wut.
Auch Freude, wenn zu heftig,
hat sie nur verhöhnt,
und Wörter, allzu deftig,
waren strikt verpönt!

Jedoch, sie hatte Stil -
und das die ganze Zeit!
Gelächelt hat sie viel,
sie war ja echt gescheit.
Karriere war ihr wichtig,
dass ein Mann sie hat!
Gekleidet immer richtig
aß sie kaum sich satt.

Sie war ja superschlank
und lebte von Salat,
von Soja, Eiweißtrank
und manchem Präparat.
Nur, als ich von Viagra sprach,
da ward sie leichenblass.
Mein Liebesglück zerbrach -
doch wie versteh ich das?

Susanne

Susanne wollte ich umgarnen,
wobei ich las in einem Buch:
"Wir müssen dringend davor warnen,
dass jeder frühe Sexversuch

die Auserwählte ihres Herzens
nur rüd verscheucht, drum raten wir,
zunächst mal die Kultur des Scherzens
recht hoch zu halten mit Gebühr!

Sodann muss man sich hilfreich zeigen:
Man(n) werde ihre rechte Hand!
Auch spiele man ein Lied von Geigen,
spaziere abends übern Strand.

Bei Sport und andern Tätigkeiten
lässt leicht sich ihr Gefühl berührn.
Sehr hilfreich sind auch Werkarbeiten -
wer kann, der möge reparieren!

Erst wenn man so sich etabliert hat,
folgt nach und nach der nächste Schritt:
Selbst wenn sie lange sich geziert hat,
macht sie dann jeden Blödsinn mit!"

So hab ich halt gescherzt, gebastelt,
gesägt, gebohrt und renoviert,
spazierte abends an den Ufern,
hab selbst Gedichte rezitiert,

ging mit ihr Schi fahrn, Rad fahrn, wandern.
Ich bin ihr allerbester Freund.
Zum Lieben hat sie einen andern.
Das Buch war nicht so gut, wies scheint.

Katinka

Joi, war die Katinka zackig,
kochte liebend gerne Borscht!
Vorne kurvig, hinten knackig!
Gern hätt ich bei ihr erforscht

alle Höhen, alle Tiefen,
sie vermessen topographisch.
Ich bemalte sie mit Linien -
war besessen davon, sklavisch.

Diese Frau war wie ein Kunstwerk:
Handbemalt, von mir signiert.
Also musste ein Event her!
Dass die Sache sich rentiert,

hab ich sie im Saal versteigert -
und die Summe war enorm!
Danach hat sie sich geweigert
mich zu kennen. Ganz konform

ging auch der, der sie gekriegt hat:
Löhnte mich und sagte "Ciao!"
Und so hab ich sie verloren,
meine handbemalte Frau.

Luise

Luise hieß sie, jene feine,
ihr Name - eine Melodie!
Sie strickte Deckchen, zarte, kleine.
Vulgär gesprochen hat sie nie.

Ich kannte sie zunächst nur flüchtig,
doch da sie mir solide schien,
nahm ich sie heim zu Muttern. Tüchtig
war sie in jeder Disziplin:

Beim Putzen, Kochen, Nähen, Backen -
rundum die ganze Hauswirtschaft
nahm sie der Alten glatt vom Nacken
mit grenzenloser Schaffenskraft!

Sie war auch sonst als Frau passabel
- Mama verstand sich mit ihr gleich -
ein Wesen wie aus einer Fabel,
so sanft und still und watteweich.

An ihr war wirklich gar nichts eckig,
was Mama höchst erfreulich fand.
Bald war den Weibern **ich** zu dreckig,
zu derb und voller Unbestand!

So kam es schließlich wie es musste:
Luise erbte von Mama!
Und mich hat man, noch eh ich's wusste,
vors Tor gesetzt, mit viel Trara!

Trixi

Über eine Agentur lernte ich dann Trixi kennen:
700 Euros nur, um drei Namen mir zu nennen!
Trixi war davon die zweite, deren Bild mir gut gefiel.
Ihr zu schreiben - eine Seite - war dann nur ein Kinderspiel.

Ja, sie wolle mich gern sehen,
schrieb auch sie, ob's möglich wär,
bald mit ihr spaziern zu gehen,
hier auf Juist, beim Wattenmeer?

Ach, was war ich für ein Pinsel!
Dachte mir noch: Frische Luft!
Fuhr gleich los. Doch auf der Insel
war der Eifer rasch verpufft!

Ringsherum nur Meereswellen!
Wie ein Wattkrebs krauchte ich
mit ihr rum an feuchten Stellen.
Und so mancher Mückenstich

ließ sich einfach nicht vermeiden.
Dann hat sie mich eingedeicht,
denn das Wasser stieg zu beiden
Seiten rasch! Lang unerreicht

blieb ihr Häuschen dort im Watte.
Nicht einmal ein Ausflugsboot
kam vorbei und deshalb hatte
mit der Flucht ich meine Not.

Angeschwemmt wie Kieselalgen,
zappelnd wie ein Köderwurm
musste ich mit Trixi balgen!
Draußen tobte oft der Sturm.

Dann, nach langen sieben Wochen,
zog das Meer sich mal zurück.
Schlapp bin ich davon gekrochen -
und empfand das noch als Glück!

Amelie

Amelie war impulsiv!
Herrlich, eine Rassekatze!
Sie verführte mich schnurstracks
einfach auf dem Rathausplatze.

Auf dem Spielplatz bei der Rutsche
nahm sie sich, was ihr gefiel,
doch das heftige Geknutsche
war bald mehr als nur ein Spiel.

Solcherart schwer zu erklären
der livrierten Obrigkeit –
ob wir beide maßlos wären
oder etwa nicht gescheit,

fragte uns der Ordnungshüter.
Dann nahm er uns beide fest.
Zur Beruhigung der Gemüter
kamen wir in den Arrest.

Amelie jedoch, die Schöne,
blieb nicht lange drin verwahrt.
Denn ich schloss aus dem Gestöhne:
Ihr verzieh man Eigenart!

Sie war bald auf freiem Fuße.
Ja, die Frau, die hatte Charme!
Und ich tat für alle Buße:
Für sie und mich und den Gendarm!

Hildegard

Mit Hildegard mir milde ward.
Ich war verschreckt. Der wilde Start
mit Amelie saß mir noch tief
im Nacken und woanders. Schief

fängt man nichts an! Ich dachte, Anstand
geziemt dem Mann, der seinen Mann stand!
Ich warb um sie mit zarten Blicken
und übte mich im Warten. Zicken,

die würden diesen Umstand nützen,
damit ihr eignes Ego stützen.
Doch Hildegard war sehr manierlich
und schickte mir dezent und zierlich

nur rosa Briefe (etwa sieben),
stets parfümiert und handgeschrieben.
Drin stand ganz klar, dass nur das Echte
für sie was wär, und ich der Rechte -

und ob ich Kinder, bitte sehr,
auch wolle, vielleicht drei und mehr?
Sie hielte nichts von schlimmen Sünden
und wolle bald Familie gründen

mit einen wackren, tapfren Mann,
der sich auch so was leisten kann!
Ich ahnte schon was Schlimmes kommen:
Wer weich ist, werde nur nicht weichlich!

Denn kurz drauf ist es rausgekommen:
Sie hatte Kinder – und zwar reichlich!

So geht's, wenn man im Guten wandelt -
der Anstand endet meist fatal!
Von Hilde ward ich gut behandelt
aus *sieben Gründen* an der Zahl!

Karoline

Karoline war gebunden,
doch das störte uns nicht sehr,
denn ihr Mann flog weltumspannend
übern Globus, kreuz und quer.

Seine Firma war erfolgreich:
Telekommunikation!
Weit Entferntes zu verbinden
brachte Ansehn ihm und Lohn.

In der Nähe aber war er,
wie man sich ja denken kann,
unbeholfen, immer rarer.
Und so kam's, dass irgendwann

sich die gute Karoline
still ihr eignes Netzwerk schuf.
Ich kam ihr da grad gelegen,
und so folgte ich dem Ruf.

Ach, wir hatten schöne Stunden,
wie wir dachten, unentdeckt.
Doch ihr Mann hat uns gefunden!
Weil der Teufel meistens steckt

im Detail, war uns entgangen:
Karolin war überwacht!
Webcams, Mikros, Sendestangen
peilten an sie, Tag und Nacht.

Leider war auch ich zu sehen
auf den Bildern, sonnenklar -
teils im Liegen, teils im Stehen,
was mir etwas peinlich war.

Einmal erst ins Bild gekommen,
war ich gar nicht telegen.
Rasch hab ich Reißaus genommen!
Na, das wird man ja verstehn.....

Erika

Mit Erika, mit Erika
flog ich mal nach Amerika.
Am Flugplatz mussten wir lang warten
und konnten erst viel später starten.

Sie suchten da ’nen Terroristen
auf allen Start- und Landepisten.
So saßen wir halt vor dem Gate
und drehten Däumchen. Es war spät.

Die Erika, die kaufte sich
dann was zu lesen (ohne mich):
Ein buntes Bilderheft von Leuten,
die in der Welt auch was bedeuten.

Und wie das Leben halt so spielt,
hat sie nach links und rechts geschielt
und machte daher, weil sie jung
auch gleich eine Eroberung:

Ein Ölscheich, auf dem Weg zum Jet
fand Erika vom Fleck weg nett.
Mit dem ist sie dann durchgestartet!
Ich glaub, das Spiel war abgekartet.

Lang hab ich überall gesucht,
dann meinen Flieger umgebucht.
Das Pärchen flog erst nach Cadiz,
von da nach London und Paris,

bis in den Jemen (über Mailand).
Ich tröstete mich wo in Thailand
mit Li, die immer freundlich nickte,
wenn ich sie in ein Bäckchen zwickte.

Eulalia

Sehr putzig war Eulalia,
die Schwester von Amalia.
Sie waren Zwillinge, die beiden,
und praktisch kaum zu unterscheiden.

Daher kann's sein, dass ich die eine,
die ich gehabt zu haben meine,
auch mit der anderen vertauscht hab
und mich an beiden so berauscht hab.

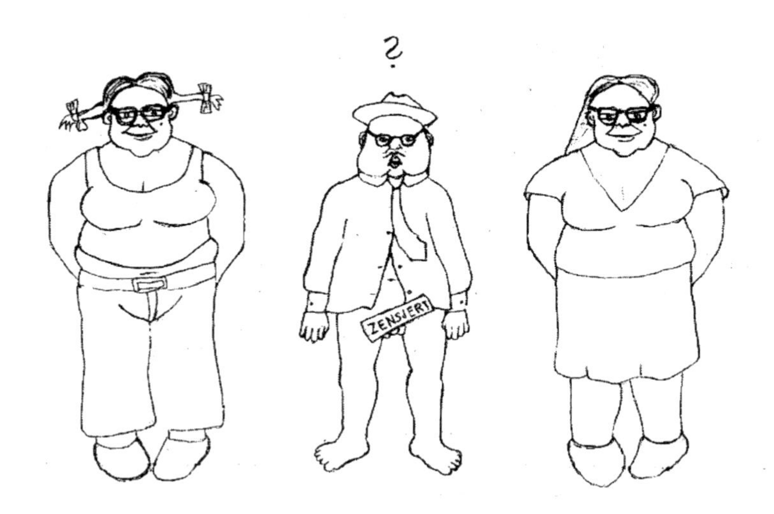

Das würde letztlich auch erklären
Dinge, die sonst nicht möglich wären.
Zum Beispiel das, dass offenbar
das Mädel stets in Stimmung war!

Ganz gleich, zu welcher Tageszeit:
Eulalia stand mir bereit!
Ein Umstand, der am Anfang Spaß war,
doch letztlich ziemlich übers Maß war.

Sie liebte ohne Rast und Ruh –
ich kriegte kaum die Hose zu
und kam nicht nach, mit dem Begatten!
Schon fühlte ich die Kraft ermatten.

Wenn ich sie sah, war ich schon lustlos!
So wird kein Mann jemals den Frust los.
Und darum floh ich, still und leise.
Ich denke, mein Entschluss war weise.

Eulalia nahm auf die Schnelle
im Dorf die Blasmusikkapelle....

Hermine

Hübsch anzusehen war Hermine!
Sie nähte mit der Nähmaschine
sich alles: Jedem Modetrend
folgte sie brav, hat nichts verpennt.

Ob Mini - oder Maxilänge,
ob Kleider, Hosen, schmale, enge:
Stets war sie modisch up–to-date –
und hat auch mich bald eingenäht!

Sie formte Röcke, Blusen, Mieder,
für mich ein Herrenhemd in Flieder
und nähte Hemden und Krawatten
sogar bei dreißig Grad im Schatten!

Selbst noch im Urlaub war dabei
die ganze öde Näherei!
Sie sprach von Biesen, Borten, Fäden,
von Stoffen, die durch Wasserschäden

Struktur verlören, auch die Farben!
Ließ sie mich drum im Trocknen darben?
Ja, schließlich drehte sich ihr Leben
nur noch um Mode, blieb dran kleben.

Nach einem Sommer war ich schon
ein Teil der alten Kollektion!
Hermine bald nach Neuem sann:
An Boden nun der Heinz gewann.

Den hatte sie den ganzen Winter,
gefolgt im Frühjahr dann von Günther.
Mich hob sie nebenbei sich auf,
für nächstes Jahr zum Schlussverkauf!

Camilla

Ach, die Nächte mit Camilla
waren heiß! Als Gast, als stiller,
schlich ich auf ihr Canapee.
Sie war willig, denn – oje! -

leider unglücklich verliebt
in wen andern. Ja, es gibt
schlimmes Schicksal hier auf Erden,
das uns stört beim Glücklichwerden.

Denn ihr Boyfriend, der von Adel,
scherte sich nicht um das Madel.
Hat 'ne andre auch genommen.
Das erzählte sie verschwommen,

nächtens mir beim Kosen, Kuscheln
unter Schnäuzen, Heulen, Nuscheln.
Ja, sie hatte böses Schicksal!
Darum sprach ich: Mädel fahr mal

mit wem andern deine Runde!
Ich hätt Zeit für eine Stunde.
Und sie ließ sich willig trösten.
Wenn die plötzlich losgelösten

Leidenschaften uns erfassen,
kann man's lange nicht mehr lassen!
"Never mind!" hieß die Devise.
Nach neun Wochen kam der fiese

Boyfriend doch und nahm Camilla!
Schmoren soll er auf dem Griller!
Mit ihm lebt Camilla froh
nun in London oder wo.

Elvira

Elvira war im Grunde niedlich.
Sie trug zwei Zöpfe. Gott, wie süß!
Das wirkte jugendlich und friedlich.
Schon glaubte ich, das Paradies

verströme diese Frau auf Erden.
Die Äpfel hingen greifbar nah!
Nur bloß nicht jetzt vertrieben werden!
Ich warb um sie. Doch was geschah?

Sie schlug die Augen huldvoll nieder,
wie's Englein oft im Fluge tun,
und sagte: „Mir ist nichts zuwider,
darfst gern an meinem Busen ruhn.

Doch wisse: Edle Morgengaben,
die öffnen bei mir Tür und Tor!
Ich möchte schöne Klunker haben –
und je nach Wert rückst du dann vor."

Ein teures Weib! (So wie die meisten.)
Behangen wie ein Weihnachtsbaum,
vom Scheitel runter zu den Leisten,
stand glitzernd sie in jedem Raum!

Das wirkte gar nicht so natürlich.
(Ganz „ohne“ war sie mir viel lieber!)
Sie sammelte so ungebührlich –
das kühlte rasch mein Liebesfieber!

Elvira machte das fast gar nichts.
Denn nächstes Jahr, auf jeden Fall,
nimmt sie (mit mir, sagt sie, das war nichts)
Herr Lugner auf den Opernball.....

Valerie

Ich liebte meine Valerie
recht häufig in der Galerie.
Sie nannte das ’ne „Kunstaktion“.
Die Eintrittskarten hatten schon

gekauft sich zwei -, dreihundert Leute!
(Sehr peinlich ist mir das noch heute.)
Doch Valerie, recht unerschrocken,
tat stets aufs Neue mich verlocken.

Sie war ganz einfach kunstbesessen.
Das Publikum ließ sie vergessen
auf Anstand, Sitte und Moral.
Wir probten circa dreizehn Mal.

Doch hat mich wirklich deprimiert:
Es wurde niemals applaudiert!
Drum hab ich die „Aktion“ zuletzt
vom Spielplan wieder abgesetzt.

Gwendolin

Gemütlich war's mit Gwendolin,
sehr häuslich war mir da im Sinn.
Ich zog zu ihr. Am Waldesrand
ich lange Zeit Behagen fand.

Beim Wandern, Beeren sammeln, Fischen
versuchte ich mich aufzufrischen.
Die Gwendolin ließ mich in Ruhe
und putzte täglich meine Schuhe.

Doch eines Tages fragte sie:
„Wie kommt es, Karlchen, dass du nie
versucht hast, mich auch zu verführen?
Kannst du denn kein Verlangen spüren?"

Das war mir irgendwie doch peinlich,
zumal die Gwendolin sehr reinlich,
ja, nahezu schon klinisch sauber.
Kam davon wohl mein Trieb, mein tauber?

So fragte ich dann Doktor Renner,
ein Facharzt und auch Männerkenner.
Der hat mich gründlich untersucht
auf Arten, da hab ich geflucht!

Mir raube, meinte er sodann,
was man ja gut verstehen kann,
ganz substantiell die Lust am Spaß,
dass ich im Wald oft ***Brom***beer'n aß!

Tags drauf verließ ich Gwendolin
und zog nach Kreuzberg, in Berlin.

Emma

Nur flüchtig kannte ich die Emma.
Es war ihr eilig: „Gemma! Gemma!“
(Wie’s halt so üblich ist im Lift,
wenn man sich überraschend trifft.)

So zwischen sechstem, sieb’ten Stock
ließ sie mich unter ihren Rock.
War gar nicht übel. Doch es ist
verboten mir vom Internist!

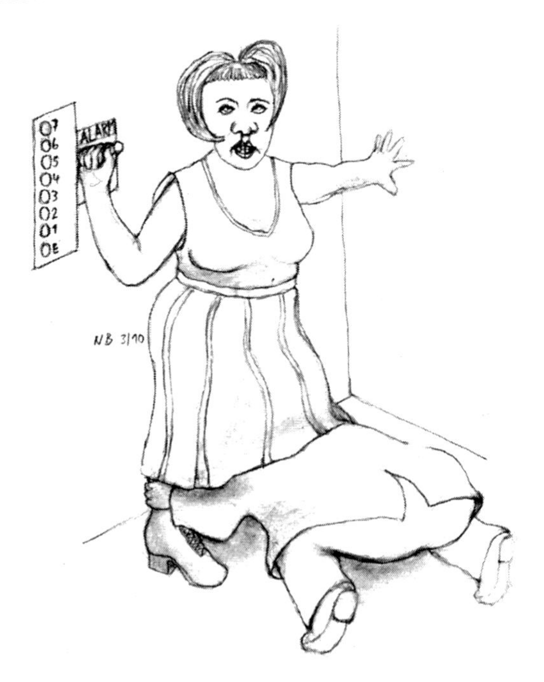

Der meint, ich solle mich bequemen,
die Stiege statt des Lifts zu nehmen.
Das wär gesünder. Ein Dilemma!
Denn sie fährt so gern Lift, die Emma…

Gisela

Gerne trug sie schwarz, die Kleine,
selbst an heißen Sommertagen
wollte Gisela alleine
nur das "Kleine Schwarze" tragen!

Schwarz warn ihre Unterhosen,
schwarz warn auch die Stöckelschuh.
Schenkte ich ihr schwarze Rosen,
war sie heiß entflammt im Nu.

Wenn sie naschte, dann Lakritze,
schwarz natürlich, was denn sonst?
Schwarze Autos fand sie spitze.
Wenn du auch im Schwarzwald wohnst,

hattest du recht gute Chancen -
aber ich kam aus dem Harz!
Trotzdem machte ich Avancen,
doch ich wartete mich schwarz!

Schließlich nahm sie einen Knaben
in Soutane, frisch und froh.
Danach wollte sie wen haben,
der war aus dem Kongo wo.

Als sie selber Nonne wurde,
hat sie in der schwarzen Tracht
schwarze Messen abgehalten.
Hätte mir nichts ausgemacht,

aber ihre schwarze Katze
hatte schlicht den bösen Blick -
denn bei jedem wilden Schmatze
biss sie mich gleich ins Genick!

Diese Ausgeburt der Hölle
nahm sich an der Gisela -
und ich ließ sie, wie Gewölle.
Mir missfiel das Miese da.

Li

Aus Phuket war die scheue Li,
die lernte ich - ihr wisst schon, wie -
zufällig kennen auf der Reise.
Mich reizte gleich die Art und Weise,

wie sie die Augen niederschlug.
Das sprach von manchem Höhenflug,
der liebestechnisch möglich war.
Ich langte zu. Der Fall war klar.

Drei Wochen Sonne, Liebesglück,
die hatte ich mit ihr, am Stück!
Am Ende ließ sie es mich wissen:
„Ich werde dich ja so vermissen!“

Na, was denn sonst? Im Konsulat
lag schon ein Formular parat.
Per Visum nahm ich sie nach Haus.
Dort aber wartete – oh Graus –

schon ihre zahlreiche Verwandtschaft
auf mich. Zu rasch schloss ich Bekanntschaft
mit Onkeln, Schwestern, Nichten, Tanten!
Als ob sie mich schon lange kannten,

begrüßten sie mich mit „Hallo!“
und zogen ein bei mir ganz froh.
In diesem Haufen ist verschwunden
die Li und ward nicht mehr gefunden.

Cicciolina

Sie war zwar flach wie eine Flunder,
doch sonst ein echtes Kurvenwunder.
Drum fuhr sie Rennen. (Formel zwei)
Ich war beim Boxenstopp dabei.

Das ging zack - zack! Beim Reifenwechseln
'ne flotte Nummer hinzudrechseln,
das forderte schon seinen Mann!
(Dass er das Tempo halten kann.)

Als Cicciolina, die Rasante,
in Runde siebzehn dann erkannte,
ich sei beim Lieben zu gemächlich,
war ausgebremst ich, nebensächlich.

In Runde zwanzig nahm sie Gunther -
den brachte sie tatsächlich unter.

Mercedes

Mercedes hieß sie, wie die Marke,
auch sie war eine ziemlich Starke:
Ein Model von der Agentur!
Sie trieb sich rum am Laufsteg nur.

In Mailand oder auch Paris,
bei Modeschau'n und überdies
bei jedem denkbaren Event,
wo frau sich präsentieren könnt.

So kam ich unter ihrer Leitung
im Handumdrehn auch in die Zeitung
und zählte rasch zur Prominenz.
Bedeutung steigert die Potenz!

Drum meinte ich nach kurzer Zeit:
„Mein Schatz, ich denk, es wär so weit!"
Wir landeten bei ihr zu Haus.
Drei Tage kamen wir nicht raus.

Das schien der große Wurf zu sein.
Nur eines fand ich doch gemein:
Im Grunde waren wir zu dritt –
denn heimlich schnitt „Big Brother" mit!

Und da ich nicht unter Vertrag,
verließ ich sie am selben Tag.

Emily

Die Emily aus Chesterfield
hat gnadenlos nach mir gezielt,
genau so wie ihr feiner Bruder,
ein fieser Schuft! Denn dieses Luder

hat gleich an mir herumgemacht.
Zunächst hab ich mir nichts gedacht,
nur das: Hallo – die geht ja ran!
Da freut man sich ja doch, als Mann.

Erst lag die Hand auf meinem Knie.
Doch dann geriet sie irgendwie
geheimnisvoll in meine Hose
und holte alles raus, was lose

sich drin befand. Ich dachte, Küssen
wird doch zu etwas führen müssen!
Sie nahm mich heftig in die Mangel:
Ich war der Fisch - und sie die Angel.

Ich war die Fliege, sie der Leim.
Der Bruder wartete daheim.
Papiere, Schlüssel, Portemonnaie
ich wohl so bald nicht wiederseh!

Dass man am Kommissariat
mich dann noch schief belächelt hat,
war fies! Sie sagten mir, der siebte
war ich, den diese Emmy liebte!

Nun wär ich froh, wenn sie sie fänden
und hab genug von zarten Händen!

Mia

Es war die Mia eine Feine,
doch lebte sie nicht ganz alleine.
Will sagen: Ihre Unterhaltung
warn Katzen. Ihnen zur Entfaltung
hat sie gebaut ein ganzes Haus.
Das formte sie gemütlich aus
und lebte dort seit vielen Jahren
mit ihnen. Weil es siebzehn waren,
war es nicht leicht, um sie zu frei'n,
denn selten warn wir mal allein!

Allgegenwärtig auf dem Diwan
lag stets der fette, faule Iwan.
Miau! Beim Küssen auf das Ohr
kroch Satchmo unterm Bett hervor.
Beim Kuscheln auf der Kellertreppe
verfolgten Rizo uns und Pepe.
Im Bett, da lagen ihrer drei:
Die Miez, die Mauz und Loreley!
Die hieß so wegen ihrer Mähne,
die ich nur ganz am Rand erwähne.

An manchem ungeahnten Plätzchen
saß Fips, das war ihr jüngstes Kätzchen.
Im Schrank lag Tom, beim Ofen Peter
und in der Dusche fand ich später
die Hinterlassenschaft von Anne.
Sie selbst lag in der Badewanne.

Die Mia meinte: "Meine Kinder,
die musst du mögen!" Leider! In der
Gard'robe auf dem Läufer lagen
drei Katzen! Wollte man es wagen,
aufs Klo zu gehn, so war man dort
auch nicht allein am stillen Ort:
Denn Samuel biss bös - o wehe -
genussvoll jeden in die Zehe.
Wer mitgezählt hat, weiß genau:
Zwei fehlen noch. Ich war nicht schlau.

Ich ging mit Mia zur Garage.
Dort kam es vollends zur Blamage:
Denn grad im schönsten Liebesakt
hat mich von hinten angepackt
die Skylla und von vorn - au weia -
Charybdis. Aus war's mit der Feier!
Kein ruhiger Platz im ganzen Haus!
Das hält der stärkste Mann nicht aus.

Laura

Die Laura kam aus Stadl - Paura,
ein kleines Kaff, das bei genaurer
Betrachtung kaum der Rede wert war.
Doch weil sie kräftig wie ein Pferd war,
fuhr sie auch gerne mit dem Traktor.
Auch das war ein Erregungsfaktor.

Von Weitem sah ich's nur verschwommen:
Sie hatte Airbags mitgenommen,
zwecks Sicherheit beim Fahr'n am Acker,
die schaukelten im Rhythmus wacker.
Ich mag's ja gerne ländlich - sittlich!
Doch Laura zeigte unerbittlich
mir immer nur die kalte Schulter.
Sie war vom Land. So war der Kult da:

Am Samstag hockt man in der Schänke -
doch sonntags drückt man Kirchenbänke!
Und da wie dort ließ sie mich knien!
Ich hab's ihr lange nicht verzieh'n.
Bis sie dann meinte: "Durt in Stadl
zeig i dia meine straummen Wadl."

Da war bei mir schon "tote Hose"!
Zum Abschied schenkte ich ihr Lose
fürs Kirmesfest im nächsten Jahr,
womit sie ganz zufrieden war.

Renee

Es war Renee ein bisschen bi-
zarr - und ihr könnt euch denken, wie!
Was nach zwei Polen sich bewegt,
verwundert, aber es erregt!

Das ist so mit der Phantasie:
Zufrieden gibt sich die ja nie!
Ich folgte ihr, um zu beweisen:
Mich ängstigt nicht extremes Reisen.

Na ja, der Wahnsinn hat Methode,
doch kommt er schließlich aus der Mode.
Ich muss mich dafür nicht genieren:
Man soll doch alles mal probieren!

Hab's auch nicht weiter hinterfragt.
Moral ist da nicht angesagt.
So bleibt Renee ganz offenbar
´ne Spielart, die gefällig war.

Flora

Die Flora aus dem Blumenladen,
die konnte zwischendurch nicht schaden:
Ein Röslein, zart, rasch zu bezwingen.
Ich musste nicht mal Blumen bringen!

Mit Schokolade war's ganz leicht,
so hab ich bald mein Ziel erreicht.
Im Glashaus, bei den Orchideen,
erhörte sie mein leises Flehen.

Ich war ein Bienchen, sie der Nektar.
Nicht gerne werd ich hier direkter.
Doch die Bestäubung klappte prächtig!
Da wurde Flora, obschon schmächtig,

alsbald zur Knolle - kugelrund!
Nicht ganz in meinem Sinn war's, und
mir wurde bald zu dünn die Luft.
Die Flora nannte mich nur "Schuft!"

Am Ende war sie gar nicht schwach -
warf mir 'nen Riesenkaktus nach!
Der stand grad da, zum Überwintern.
Oh Mann, das piekst vielleicht im Hintern!

Der Hautarzt hat ihn dann entfernt.
So irrt der Mensch, und lebt und lernt....

Ella

Da war die Ella schon viel heller!
Jonglierte tägliche Gläser, Teller
behände am Serviertablett.
Ihr Hintern wackelte so nett,

ging sie damit durch alle Reihen.
Das Kneifen konnte sie verzeihen.
Ganz offenbar hatte ihr Podex
keinen so strengen Ehrenkodex.

Denn, angepasst an Bahnhofssitten,
war offenherzig sie. Inmitten
der bunten, muntren Gästeschar
Frau Ella stets ein Lichtblick war!

Drum war sie bald in aller Munde,
begehrt für ihre "Zimmerstunde".
Auch mich hat sie mal mitgenommen.
Doch hab ich dort was abbekommen,

das juckte mich ja wie die Höll -
als hätt ich eine Laus im Fell!
Na klar, dass man nicht drüber spricht!
So hell war auch die Ella nicht.....

Rieke

In Paderborn traf ich die Rieke
und fand von Anfang an sie schnieke:
Ein kesses Ding mit langen Strümpfen -
da muss man(n) nicht die Nase rümpfen!

Sie trug so gerne ein Korsett -
ich brachte sie sofort zu Bett.
Jedoch, in diesen vielen Schnüren
kann man(n) sich allzu leicht verlieren!
Das war der alte Knotentrick:
Gefesselt blieb nur ich zurück!

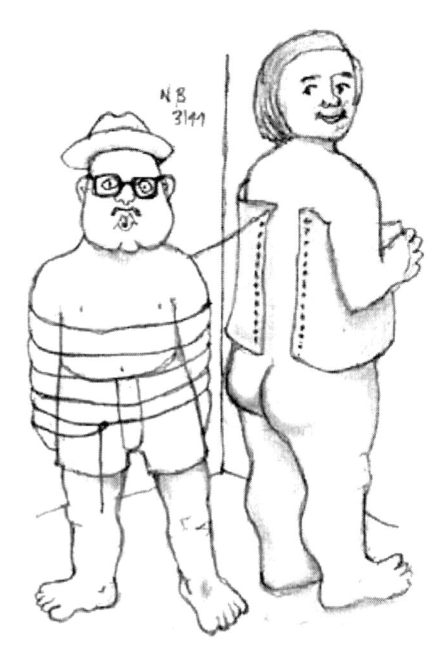

Sie spann das reinste Seemannsgarn
und schien - das wurde sehr bald deutlich -
auf "Leinen los" nicht abzufahrn.
Drum nahm ich mir mal zwischenzeitlich
und zur Entspannung auch die Trude -
korsettfrei und aus Buxtehude.

Davon bekam die Rieke Wind,
- ihr wisst ja, wie die Weiber sind -
war mächtig bös und eingeschnappt
und hat die Leinen gleich gekappt!
Mit Trude war's mir doch nicht ernst!
So machst du Fehler, Mensch, und lernst....

Britta

Aus Schweden war die blonde Britta,
bekömmlich wie ein Schwedenbitter.
Ich lernte sie beim Eisstockschießen
in Kitzbühl kennen. Zum Genießen

war mit ihr alles: Apres Ski
war plötzlich dufte wie noch nie.
Ob Sauna, Dampfbad, Clubmassage:
Die Britta zeigte stets Courage!

Ihr Freund, der Björn, war auch dabei -
doch gab sich der vorurteilsfrei,
erfrischend offen, liberal.
Wozu auch motzen? Die paar Mal

hab ich die Britta ausgeborgt.
Dann hat sie ja der Björn entsorgt:
Er nahm sie wieder mit nach Schweden.
So'n Kumpel hast du nicht an jedem!

Da kam mir der Gedanke leise:
Ich mach mal eine Nordlandreise...

Annouk

Kurz drauf hab ich mich eingeschifft.
Da man ja nie weiß, wen man trifft,
ging ich an Bord, war frohen Muts,
fest überzeugt, ich tu was Guts.

Denn meine Wahl, sie fiel auf Grönland
weil ichs im Katalog so schön fand.
Dick eingemummt im Seehundsfell
schlief ich zuerst im Eishotel
und wartete, dass mir die Kühle
verhalf zum Gipfel der Gefühle.

Man zeigte uns per Schlittenfahrt
das Land, das wirklich sehr apart.
Zuletzt nahm mich ein Inuit
breit grinsend noch zum Fischfang mit.

Da ich dann fror, zu sich nach Haus -
dort wartete schon, mit Applaus,
die Annouk, sein Weib, froh grinsend
und keck nach meiner Wäsche linsend!
(Die trocknete dann, nah beim Feuer.)
Mir war das Ganze nicht geheuer!

Denn Annouk, sie roch nach Tran!
Da hatt ich Zweifel, ob ich kann.
Auch ihr Gesicht war kaum von Welt:
Sah aus wie Robbe, wenn sie bellt.

Und ähnlich war auch die Statur.
Doch Brauch ist Brauch! Sie nahm Kultur
sehr ernst und übte Gastfreundschaft
an mir gleich aus mit Bärenkraft.

Im Iglu wurde es mir heiß!
Ja, Neugier kostet ihren Preis.
Doch wer's im Iglu nicht gern warm hat,
bleibt besser hier und fährt nach Darmstadt...

Gertraud

Wohl dem, der heimlich wo in Darmstadt
wen kennt und einen flotten Schwarm hat!
Ich kannte keinen, doch geschwind
erkannte ich: Mein Blinddarm spinnt!

Rechts unten, so ein wüstes Stechen,
nebst Durchfall, Übelkeit, Erbrechen.
So landete ich im Spital
und auch bei Gertraud, (drei -, viermal)

denn nach der Operation
vergönnte sie mir Trost und Lohn.
Sie hat in ihrer Schwesterntracht
mich wirklich rasch auf Tour'n gebracht.

Ja, Gertraud soll noch lange pflegen!
Seit Tagen frag ich mich: Weswegen
könnt ich denn noch zu ihr, zum Hüten?
Doch leider hilft kein Grübeln, Brüten:

Mein Bäuchlein, zwar ein rundes, dralles,
ist voll - doch brauch ich innen alles!
Ein Jammer! Denn die flotte Traude
bekäm von mir sofort "cum laude"!

Doch so kann ich sie nicht mehr packen:
Bei mir gibt's ja nichts abzuzwacken!
Auch freut's die Weiber, wenn was dran ist
an einem Mann, da, wo er Mann ist....

Wird mir die Liebe jemals glücken?
Ich muss wohl eine andre pflücken....

Desiree

Desiree erforschte täglich
allerhand so Kleingetier,
denn als Mikrobiologin
war sie Spezialist dafür.

Ich war gar nicht mal ihr Typ, doch
ging sie gerne mit mir aus,
und nach etwa zwei, drei Wochen
nahm sie mich zu sich nach Haus.

Blöd! Ich fragte nicht nach Gründen.
Doch sie flüsterte mir dann:
"Auf dir kann man manches finden,
wirklich int'ressant, oh Mann!"

Frechheit! Ich war so beleidigt.
Meine Haut - ein Biotop?
Doch sie nahm sich gleich ne Probe
für ihr neues Mikroskop.

So ein Einschnitt macht Probleme.
Dieser Abend war versaut!
Denn, worüber ich mich gräme:
Seitdem fehlt mir etwas Haut....

Jule

Die Jule ging noch in die Schule,
will sagen: Sie war Pädagogin,
worüber ich doch jetzt auch froh bin,
denn schließlich hat sie über Nacht
mir Zucht und Ordnung beigebracht.

An ihr war alles wie Examen:
Erst musst ich beichten! All die Damen,
die mir im Lauf von zwanzig Jahren
halt unfreiwillig widerfahren.

Dann ging es gleich ans Memorieren
von Regeln - selbstverständlich ihren!
Und täglich gab's auch für zu Hause
noch Übungsstoff. Nur in der Pause

war es erlaubt, auch laut zu sprechen.
Verboten waren: Kratzen, Stechen,
heraus schrei'n, bei der Prüfung schummeln,
des morgens allzu lange bummeln.

Nach einem fixen Stundenplan
verging der Tag mit ihr. Sodann
war ich von Grund auf reformiert,
beziehungsmäßig gut dressiert.

Ich hätt geschafft - weil das mal raus muss -
jedweden "numerus" und "clausus"!
Ja, Julchen kann ich nur empfehlen:
Sie hilft auch hoffnungslosen Fällen

und wandte sich nach diesem Turnus
dem Mehmet zu, im weiten Burnus.
Ob sie auch den bekehren kann?
Wer weiß? Sie packt's ja richtig an:

Erst unlängst traf ich sie im Schleier
bei unsrer letzten Klassenfeier....

Meine Lolle

Meine Lolle ist ganz 'ne Tolle!
Ich kenn sie schon das vierte Jahr.
Sie trägt 'ne flotte Innenrolle,
selbst dort, wo's anfangs peinlich war.

Sie ist ja so verschämt, die Gute,
erzählt mir kaum etwas von sich.
Wenn ich sie frag, zieht sie 'ne Schnute
und meint: „Ich liebe doch nur dich!"

Ja, meine Lolle ist 'ne Tolle!
Sie kocht mir Kasseler und Kraut.
Wir kriegen nie uns in die Wolle.
Beim Lieben ist sie ziemlich laut.

Sie hat gelernt, mich zu verführen,
ich frag mich bloß, wie sie das macht,
geheimste Wünsche zu erspüren.
Sie sagt mir's nie. Doch gestern Nacht,

da meinte sie im Licht der Sterne:
„Ich hätte gerne, irgendwann,
gleich bei der Tür so 'ne Laterne
in Rot." Und ob ich's machen kann.

Das hat mich doch an meiner Lolle
ein ganz klein wenig irritiert.
Fällt sie nicht etwas aus der Rolle?
Ich hab die Lampe halt montiert.....

Nachwort von Lolle

Es hat das Karlchen, den wir lieben,
sich jahrelang herumgetrieben.
Bei mir, da fand er seine Ruh:
Er drückt halt mal ein Auge zu,

wenn ich Besuch hab. Sie verstehn:
Geschäft muss einfach weiter gehn!
Es fehlt ja nicht an Unterhaltung
durch diese feine Ausgestaltung.

Und auch das Konto – ohne Prahlen -
ist immer in den schwarzen Zahlen!
Das Karlchen, das macht einfach blau –
er hat ja mich, die kluge Frau.

Denn hätt nicht *ich* das letzte Wort:
Er triebe es *in einem fort*…..!

(UN)GEREIMTHEITEN

DAS KANN DOCH NICHT WAHR SEIN...

Eine gar schröckliche Geschichte...

Im Zick-Zack schlich einmal ein Scheich
durch eine Wüste, fand 'nen Teich.
Es war ihm heiß, er wollte baden,
doch sank er ein bis zu den Waden

in heißen Sand! Da war kein Wasser!
Gleich ward der Scheich erst bleich, dann blasser.
"Ich trinke nie!" schwor er, "Bei Allah!"
Das nützte nichts. Der Hitzeknaller

hat doch sein Schicksal rasch besiegelt,
mit Luft, die Wasser ihm gespiegelt.
Zehn Wochen drauf fand seine Sippe
in Badehosen das Gerippe...

Entwicklungsfähig

Lang Fingel war ein Erzchinese
aus Szechuan, da stammte er.
Er handelte mit Wein und Käse,
mit einem Wort: Ein Importeur!

Der brachte Waren aus der Ferne,
des Nachts im Schiff und gut verpackt,
vertrieb sie selbst in 'ner Taverne,
wobei Profit er abgezwackt.

Er konnte mächtig Umsatz machen,
mit teuren Wägen, schicken Frau'n
den Neid der Region entfachen.
Dem Kerl war alles zuzutraun!

Doch hat den Braten bald gerochen
ein clevrer, kleiner Polizist,
der, heimlich ins Büro gekrochen
bei Fingel (wie's so üblich ist),

Papiere fand von Transaktionen
mit Werten noch ganz andrer Art:
Teils Diamanten, teils Ikonen
und „Schnee" - ins Käseloch verscharrt!

Ja, es sah ganz so aus, der Fingel
war auch noch anderswo versiert:
Ein höchst gewiefter Cyber- Schlingel,
systemvernetzt, gut integriert.

Erst rechnete der Ordnungshüter
- und dachte gleich an sein Salär -
führ er da rein als wilder Wüter,
was käm für ihn raus, hinterher?

Zwar: Orden gäbe es dann reichlich
und Rummel, welcher medial.
Doch wurden ihm die Kniee weichlich,
als er bedachte, nur einmal,

was Fingels düstere Gesellen
wohl planen könnten für danach,
um ihm das Leben zu vergällen?
Da wurden ihm dieselben schwach.

Und wurden schwach und noch viel schwächer -
was geht mich Wein und Käse an?
Und so entfloh er über Dächer
und fing tags drauf bei Fingel an.

Spinner

Der Kurt hat eine Spinnerei,
drin spinnt er, findet nichts dabei.
Weil's keinen stört, drum spinnt er weiter.
Eng wird das Sichtfeld und nicht breiter.

Der Kurt ist ein begabter Weber
und jede Laus auf seiner Leber
kriecht ihm ins Inn're des Geflechts
und tut dort Vieles, nur nichts Recht's.

Umschlungen sitzt er im Kokon.
Was hat der Kurt denn jetzt davon?
Man weiß es nicht. Denn, eingesponnen,
hat er nun die Idee gewonnen,

die andern hingen in den Fäden!
Längst redet er nicht mehr mit jedem.
Wie das beim Spinnen halt so ist,
wenn man die Außensicht vergisst.

Katzenallergie

Immer liegt das Katzenvieh
auf der frischen Wäsche!
Wartet wohl drauf, dass ich sie
irgendwann verdresche.

Wickelt sich behaglich ein
auf den neuen Hemden.
Auch mein Spitzenhöselein
kann sie nicht befremden.

Zieht mit ihren Krallen sacht
irgendwo auch Fäden.
Was sie hintenrum so macht,
mag ich nicht bereden.

Putzt sich gründlich, dass ihr Fell
gleich in Büscheln fahre,
und durchs ganze Zimmer schnell
wirbeln Katzenhaare!

Schließ ich mal die Türe zu,
gibt's ein Mordsgezeter.
Jammert fürchterlich: "MIJUUU!"
Fünf Minuten später

liegt das Vieh, wo's immer lag!
Hab umsonst geräckert.
Morgen wird sie, Schwanz voran,
an die Wand getackert.....

Sich schmücken hat Tücken!

G. Schmeide war ein Juwelier
der extra Güteklasse.
Einst schenkte er ein Armband mir -
obwohl ich Schmuck doch hasse.

Ich trug es trotzdem voller Charme
und erntete Beachtung,
doch nicht von ihm, nein, ein Gendarm
der meinte nach Betrachtung,

das Band, es sei nur Katzengold!
G. Schmeide bloß ein Hehler,
der kaufte es einst unverzollt
von einem üblen Stehler.

Ja ja, so ist's mit Männern oft!
Lass dir bloß nichts versprechen,
sonst musst du - wie ich - unverhofft
den ganzen Schaden blechen!

G. Schmeide sitzt ein Weilchen ein,
hätt ich mich nie verliebet!
Ein Broker soll der Nächste sein!
Der fliegt mit mir nach Tibet.

Toller Trick

Da ging mal einer durch die Wüste
und trug, was er ja so nicht müsste,
'nen Amboss mühsam mit sich rum.
Das schien 'nem andern Manne dumm.

Drum fragte der auch recht verwundert.
"Was schleppst du hier der Kilos hundert?
Ja sag, ist dir das nicht zu schwer?"
Da sprach der Erste: "Bitte sehr,

mach mich nicht auch noch desparat!
Den brauch ich, wenn der Löwe naht!"
"Der Löwe?" staunte jetzt der Zweite,
"Das scheint mir so nicht das Gescheite!

Erkläre mir, du guter Mann,
wie dir ein Amboss helfen kann?"
"Ganz leicht," meint Nummer Eins gewitzt
und lächelt dabei ganz verschmitzt:

"Wenn ich den loslass, auf der Stell,
dann lauf ich glatt dreimal so schnell!"

Wüst

Zwei Knaben ritten ein Kamel,
der eine, der hieß Daniel,
der andre aber, der hieß Gunter -
und der fiel vom Kamel herunter.

Und wie er lag im Wüstensand,
ihn bald ein Beduine fand.
Der brachte ihn zu seiner Base,
gleich hinten links, bei der Oase.

Sie rieb ihn ab mit Ziegenmist,
wie das im Land so üblich ist.
Da dachte sich der schlaue Gunter:
Das nächste Mal fällt Daniel runter!

Summmm!

Die Fliege fliegt mit viel Gebrumm
im Zimmer Rund um Runde rum.

Hat sie beim Zimmer-Rundumrunden
denn keinen Landeplatz gefunden,

nur meine Suppe? Platsch! Da liegt se!
Ich hol die Klatsche! Patsch! Da fliegt se!

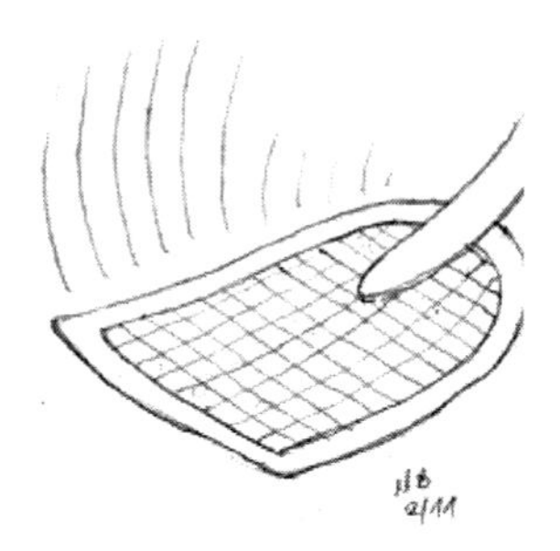

Im Zimmer ist verteilt die Suppe.
Die Fliege fliegt: Summ! Summ!
Ihr ist das schnuppe.

DER NÄCHSTE , BITTE...!

Eingewachsener Zehennagel

Mein Zehennagel macht mir Kummer,
seit Neuestem erzeugt er nur
mit viel Radau und auch Gewummer
im linken Schuh 'ne krumme Tour.

Er wölbt sich unstatthaft zur Seite
und gräbt sich in das Nagelbett,
wächst wenig längs und mehr zur Breite,
obwohl ich's gerne anders hätt!

Erstaunlich ist's, da gibt es Nerven,
vom Zehennagel rüd entblößt!
Wie füßlings sich die Sinne schärfen,
wenn spitzer Quertrieb auf sie stößt!

Mein Zehennagel macht mir Sorgen:
Mit diesem Ding geh ich nicht aus!
Ich muss zum Arzt! Der reißt mir morgen
den Nagel samt der Zehe raus.

Geschwollene Schwermut

Ob bei mir die Warzen schwänden
lebte ich in schwarzen Wänden?
Wie sie in den Winden schwollen
und jetzt nicht verschwinden wollen!
Ach, es fällt zu schüren schwer
Hoffnung! Von Geschwüren wär
ich gern frei, es schwankt mein Wert,
denn: Beim Liebsten wankt das Schwert....

Beim Nasen-Marathon

Die Nase läuft seit sieben Uhr
den Nasenmarathon,
zeigt von Erschöpfung keine Spur,
mir reicht es aber schon!

Nur hin und wieder bleibt sie stehn
und gönnt mir ein Verweilen,
doch rings um mich, da stapeln sich
die Taschentüchermeilen!

Es war bei Kilometer neun,
da schwoll mir an die Stirne.
Kein Umstand, sich darob zu freu'n:
Vernebelt war die Birne!

Die Nase aber lief und lief
und jagte nach Rekorden,
da ist – obwohl ich so fest schlief-
mir schwitzeheiß geworden!

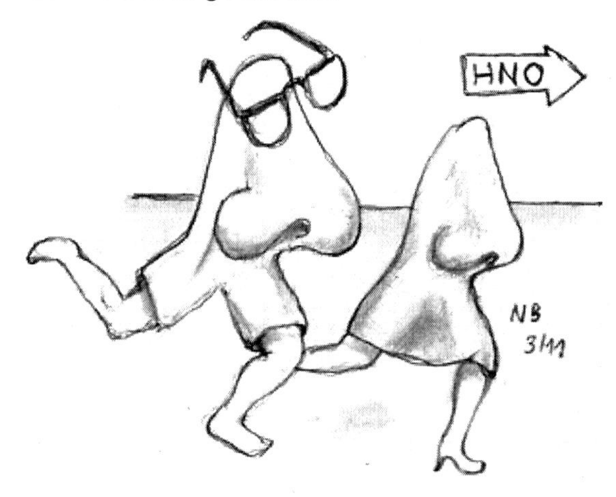

Bei Kilometer zwanzig vier
ging's mir mit ihr nicht besser:
Zwei Aspirin, die nahm ich mir,
mit reichlich viel Gewässer.

Die Nase aber trabte schlicht
voran, ganz unverdrossen.
Genießen konnte ich es nicht -
jedoch: ich hab genossen!

Nun stehen wir bei dreißig sechs,
doch nicht am Thermometer!
Die Nase ist ein bös Gewächs,
wird sie zum Übeltäter.

Sie läuft und läuft, als wär sie gar
von Duracell der Hase!
Mein Hirn kommt langsam in Gefahr:
Bald rinnt's mir durch die Nase!

Ich hoffe still, bei vierzig zwo
hat sie sich ausgelaufen,
sonst muss ich mir noch irgendwo
zwei Nasenkorken kaufen...

Brillant

Auch ich kann oft nicht weiter lesen!
Fehlt mir zum Studium die Brille,
frag ich: "Wo bin ich nur gewesen,
wo ließ ich sie, in aller Stille?"

Da nützt kein Bitten und kein Betteln:
Das große Herz der Erde schweigt!
Verdammt! Ich kann mich so verzetteln!
Schon wieder so ein Ding vergeigt!

Drum sammle ich jetzt viele Sorten:
Des Öft'ren kauf ich ein Gestell,
drapiere klug an vielen Orten
die Brillen. Mach jetzt kein Gebell!

Ich will nicht täglich Brillen suchen -
sie finden wär ja eine Kunst!
Und außerdem: Man soll nicht fluchen!
Der ganze Tag wär glatt verhunzt!

In jedem Zimmer eine Brille!
Auch jene neben dem PC
ist dringend nötig, keine Grille!
Die kleinste steckt im Portmonnaie.

In jeder Tasche eine Brille -
und eine liegt beim Telefon.
Dann gibt's noch eine: In der Stille
les ich auch heimlich auf dem "Thron"!

Im Auto liegt die Sonnenbrille.
Im Schlafzimmer, da trag ich schlicht
nur eine mit 'nem Leselämpchen!
Denn abends scheint die Sonne nicht.

Ich hab mich gut versorgt, ich Schlaue!
Mit Brille bin ich int'ressant,
Weil ich was seh, wohin ich schaue!
Mit einem Wort: Ich bin BRILLANT!

Des bin i ich floh

Mein Kater heißt Geronimo,
hat ab und zu mal einen Floh.
Das ist so bei den Langhaarkatzen,
weswegen sie sich gerne kratzen.

Er tut das wirklich mit Vollendung -
hat ja vier Pfoten zur Verwendung,
mit Krallen, da kann ich nur träumen!
Das Feld muss jeder Floh bald räumen.

Doch unlängst war mir was verdächtig:
Geronimo, er kratzte mächtig,
ein Viertelstündchen oder mehr -
was juckte ihn denn gar so sehr?

Ich kam, sein Leiden zu vermindern
und schweren Schaden zu verhindern.
Hab ihn gleich abgesucht genau
und fand auch rasch den Floh, der schlau

mit kühnem Sprung das Weite suchte
und dabei auch Erfolg verbuchte:
Geronimo ist frei von Flöhn -
doch mich, mich könnt ihr kratzen sehn....

Knieprobleme

Es stach im Knie.
Da lach ich nie.
Der Orthopäde fragte: "Wie?"

Was weiß denn ich?
Bin ich der Doktor?
In seiner Praxis werkt und hockt er,
lässt sich bezahln von *meiner* Kasse!

Dass ich *mein* Knie *ihm* überlasse,
das müsste doch, ich denke, reichen.
Den Gegenwert soll er begleichen!

Soll *ich* mein Knie *für ihn* verstehn?
Da kann ich gleich zum Metzger gehn!

"Das Knie," sagt er "ist ein Scharnier."
Bin ich vielleicht 'ne Eingangstür?
"Das muss man pflegen. Gehn sie täglich
zehntausend Schritte, flott, wenn möglich."

Na, der ist gut! Wenn's mich doch sticht!
Zehntausend Schritte geh ich nicht.
Zum Doktor war es neunundsiebzig.
Die zieh ich ab. Der Rest ergibt sich.

Medizinisch gelöst

Ich fühl mich krank und geh zum Arzt,
dass der mal horcht, was in mir schnarzt,
dass der mal spürt, was in mir trötet,
die leck gewordne Stelle lötet.

"Herr Doktor," sage ich, "Sie sind
ja der Experte, drum geschwind
brauch ich so manches jetzt verschrieben
fürs Lachen, Leiden, Leben, Lieben!"

Der Doktor hat kurz überlegt,
dann seinen Schreibstift rasch bewegt.
Für alles hab ich - Gott sei Dank -
jetzt was im Erste - Hilfe - Schrank!

Zu Stärkung meiner Rossnatur
nehm ich jetzt "Quantum Pferde" pur,
und ist mir etwas viel zu dumm
hilft "Anti - Idiotikum".

Das Gurgeln früh mit „Sexoral“
macht meine Libido normal
und Chilischoten - nach Bedarf -
erhalten mir den Alten scharf.

Kein Leerlauf, keine Schaffenskrise!
Da braucht es nur 'ne kleine Prise
ins Gläschen! Es beflügelt jäh
die Brause von "Inspirin -C"!

So hab ich mich auf diese Welt
jetzt wirklich blendend eingestellt!

Rettung in letzter Sekunde

Ich hab was am Finger
und der tut mir weh!
Es könnte ein Span sein,
ein Floh und – oh je:
Vielleicht eine Warze?
Warum grade hier?
Das komische Schwarze
soll runter von mir!

Das seltsame Lange
wird sicher bald rot!
Ich hol eine Zange,
eh Sepsis mir droht.
Man reiße es aus, denn:
Was tapfer ist, währt!
(Auch wenn mir die Tapferkeit
Tränen beschert!)

Wo ist denn die Brille?
Verdammt, sie ist fort!
Doch da sagt mein Mann schon:
„Halt - siehst du nicht dort
das winzige Kleine?
Nun zappel nicht rum!
Ein Mohnkrümel bringt dich
noch lange nicht um!“

Salto dentale

Mein Wackelzahn
in seinem Zackelwahn
verspürte Tatendrang,
ließ sich verdrahten. Tang!
Er war die Krone los!
Dem Arzt nicht lohne groß
den Fehlgriff. "Missgeburt!"
hat mein Gebiss gemurrt.
Und als Folge vom Dentalmord
bin ich nicht mal mehr mental dort...

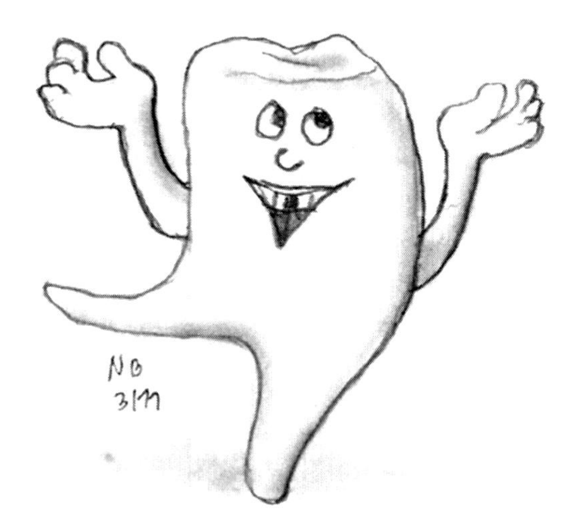

Wackelzahn

Mein Zahn tut weh mir lange Zeit,
mir tut schon bald die Zange leid.
Der Arzt: Er muss in fiesem, morschen
Beißrestgerüst nach Miesem forschen!
Ich werde tapfer kämpfen dann -
ob man die Schmerzen dämpfen kann?
Der Zahnschmerz quält die Welt in Horden,
an ihm ist mancher Held geworden....

Schönheitsoperation

Als Kurt so cirka siebzig war,
mit dickem Bauch und kahlem Haar,
erkannte er durch sein Gegrübel:
Die Wurzel aller bösen Übel
ist die, das Klugheit kaum besticht,
vermengt sie sich mit Schönheit nicht!

Doch hatte er die Lösung schon:
Ich mach 'ne Operation!
Der Steiß, der Bauch und die Visage
erspare mir doch die Blamage!
Man schnippelt weg, was nicht gehört
und baut das um, was sonst noch stört!
Dann freut das Leben wieder besser.
So legte er sich unters Messer.

Jedoch - herrje - dem Operateur
passierte dabei ein Malheur!
Der Kurt lag auf dem Schneidetisch,
daneben lag ein Foto, frisch
geschossen von der Visagistin.
Obwohl ich gar kein Pessimist bin,
hätt ich sofort vermutet, dass
da schief gehn kann mal irgendwas!

Frau Müller nämlich, schwer verliebt,
dem Operateur ein Foto gibt,
das ist für ihren Freund gedacht!
Verliebter Mensch oft Fehler macht.
Der Operateur, der schnitzt, nicht faul,
nach diesem Bild Stirn, Nase, Maul
und peppt auch auf die blassen Wangen.
Ein meisterliches Unterfangen!

Nun sieht das Kurtchen - Schreck und Graus,
wie's neue Fräulein Müller aus!
Dabei hat er noch Glück gehabt!
Wär Fräulein Müller angetrabt
mit einem Bild von ihren Doggen,
dann würd er auch nicht sehr frohlocken!
Man sieht: Die Schönheit zu erwerben
kann leicht ins Gegenteil verderben!

Sproing!

Heut Morgen bin ich aufgewacht,
da hat es "Sproing!" im Knie gemacht.
"Krk-Zumm!" Es meldete im Nu
die Schulter sich. Dann kam dazu

mit "Zrrrr-wp-df" das Hüftscharnier.
Das Handgelenk erzählte mir
mit "Gl-gl-gl-gl!" noch eine Zote.
Die Wirbelsäule leis mir drohte:

"E-e-e-going" - dann war sie grade.
Ich stand stocksteif, wie zur Parade.
Nicht schlecht fürn Anfang! Doch ich denke,
ich kauf 'ne Salbe für Gelenke.....

Tinnitus

Die Else hat - s'ist ein Verdruss -
im Ohr beständig Tinnitus.
Doch kann sie's einfach nicht begreifen,
dass nicht die Männer nach ihr pfeifen.

Sie denkt: Was sind die Kerle dreist!
(Na ja, das stimmt ja auch. Zumeist
hat einer still an was gedacht.)
Doch weil die Else draus was macht,

gilt sie im Dorf als liederlich,
verdorben und auch widerlich.
Dabei ist sie doch so bescheiden!
Es liegt bei ihr am Ohrenleiden.

Nur einmal, da war einer kecker -
(Ich glaube, er hieß R. Whitacker)
der sagte: "Kultiviere doch
das Pfeifen aus dem Ohrenloch!

Ich tu's ja auch, bin weltbekannt.
Man hat die Tür'n mir eingerannt
gerade deshalb, denn das Pfeifen
ist was, das viele nicht begreifen!"

Vor Staunen war die Else platt!
Doch weil sie viel geübt dann hat,
fand sie Beschäftigung, so schöne:
Seit gestern ist sie Werkssirene....

Vorsorglich...

Ach, der Mensch muss sich bewegen!
Kommt es ihm auch ungelegen,
soll er trotzdem sich oft regen,
denn darin, so heißt's, liegt Segen.
Joggen, Walken, Stretchen, Radeln
nützt dem Kreislauf, stärkt die Wadeln,
Yoga, Chi - Gong, Taek – Won - Do
machen auch die Seele froh.

Federball und Tennis, Reiten
brauchen wie das Golf beizeiten
Übung, etwas Unterricht.
Wer figürlich nicht besticht,
gilt nicht mehr als "up – to - date"!
Auch als magerer Asket
macht man heute keinen Stich!
Dies erkannte nun auch ich.

Wer zu oft der Faulheit frönt,
gilt zurecht als fad, verpönt.
Und so hüpfen wir und turnen
munter rum, bis an die Urnen!
Niemand zählt gern zu den Alten.
Bis die Toten Hanteln halten,
dauert es noch eine Zeit,
doch sie kommt! Ich bin bereit.

Darum hab ich vorgesorgt,
mir die Fitness ausgeborgt:
Dem, den das Gehüpf nicht freut,
hilft der Physiotherapeut:
Denn er dehnt ihm alle Stränge
locker auf gewünschte Länge!
Dafür muss man sich nicht schinden!
So was kann man praktisch finden.

Gut, Frau Imken legt jetzt Hand an!
So erspar ich mir das Wandern.....

Badefreuden

Ins Schwimmbad geht Luise gerne,
weil sie dort heimlich, aus der Ferne
sich jeden gut gebauten Mann
ganz ungeniert betrachten kann.

Hat der sich in der Badehose,
schön braun gebrannt, in Siegerpose
am Beckenrand stramm aufgestellt,
scheint Sonne in Luisens Welt!

Die wärmt ihr Herz und noch viel mehr!
Drum kommt's auch nicht von ungefähr:
Am Abend hat Luisen Spaß
mit sich allein. Wie geht denn das?

Wer will, der mach sich drauf 'nen Reim!
Doch lange bleibt sie nicht daheim:
Denn tags darauf, da geht sie schon
zur nächsten Degustation.....

Erotik, nur...

Oh wei!
Wie hab ich mich verzehrt
nach jenem Kerl, den ich begehrt,
nach seiner Stimme seiner Hand -
und dabei bin ich abgebrannt!

Verglommen schwarz der ganze Docht!
Kein Golfball wurde eingelocht.
Oh ich!
Was hab ich mir gedacht?
Was hat mich bloß so heiß entfacht?

Die ganze Liebe ist ein Graus,
dreht Er sich um und geht nach Haus
und lässt mich stehn in wildem Brand!
(Und weit und breit kein Kerl zur Hand!)

Oh du!
Du wolltest dich nicht reiben?
Verdammt! Dann lass das Zündeln bleiben....

Cholyrisch

Ich tu jetzt so als ob ich dichte,
dieweil ich andres Zeug verrichte,
dieweil ich koche oder kehre –
ich stecke tief in der Misere!

Im Wok gab's heute Jambussprossen
mit Pantumsoß. Wer hat's genossen?
Gab's meinem Schatz zum (Ana) Besten!
Er meinte bloß: „Um mich zu mästen,

braucht's eher mal was Deftiges."
So briet ich ihm was Kräftiges:
Ich denk, der Villanellenbraten
wär ausnahmsweise gut geraten?

Mein Liebster guckte daktylüstern
und schnaubte herzhaft durch die Nüstern.
Ich hab, weil mir das so gefällt,
auf ihn den Versfuß gleich gestellt.

Denn zärtliche Massage hätt
ich auch mal gern. Das wär so nett!
Ich fürchte fast, bei uns daheim,
geh ich ihm ständig auf den Leim:

Der Paarreim ist nicht mehr ganz klar,
weils längst ein Triolett schon war:
Der Musenkuss mit Fräulein Müller
war längst ein Knaller und kein Knüller!

Mein Leben wird zur Elegie!
Doch Schluss damit! Ich weiß schon, wie.
Zu Hilfe nehme ich die Stanze:
In die Vers - Enkung mit der Wanze!

Von Mitleid zeig ich keine Spur
keucht sie aus den Trochäen nur!
Ich stopfe ihr den fiesen Schnabel
mit einer simplen Ringparabel.

Dann macht das Leben wieder Sinn!
Wie gut das ich cholyrisch bin!
Ich tu jetzt so, als schrieb ich Verse,
dieweil ich sie im Mörser merse.....

Liebesgeflüster (bei Gewitter)

Ach!" seufzte er und sie "Oh ja!"
Sie hielten sich und war'n sich nah.
Er küsste sie, sie küsste ihn.
Durchs Fenster fing es an zu ziehn.

Da sagte sie zum ihm: Oh je!"
Doch er zu ihr: Nanu? Nee, nee...?"
Daraufhin sie: "Ja, leider, leider!"
Und er zu ihr: "Du Lustabschneider!"

Drauf sie zu ihm: "Ach, Dummerjan!"
Vorm Fenster fing's zu regnen an.
Nun schloss man zu. Sie zog sich aus.
Der Wind pfiff mächtig um das Haus.

Nun pfiff auch er, den Blick gebannt.
Die Schatten tanzten an der Wand.
Sie sank ins Linnen, sich zu schenken.
Den Rest könnt ihr euch selber denken.

Finanzgenie

Die Trude geht seit Kurzem fremd!
Erst kaufte sie ein Seidenhemd
und bald darauf ein knappes Höschen
mit rosa Schleifchen und auch Röschen.

Dem Kurt, der sie danach gefragt,
hat sie nur "Warum nicht?" gesagt.
Der saß gerad mit einem Bier
bei einem Spiel von Schalke vier.

Ein Pass zum Tor! Die blöden Hessen!
Drum hat der Kurt wohl gleich vergessen
den Einkauf seiner lieben Frau.
Tja, manchmal ist er nicht sehr schlau.

Die Trude aber, raffiniert,
hat erst den Müllmann so verführt,
danach den Eismann und die Post.
Zuletzt hat sie das Hemd verlost

per Inserat mit Reingewinn!
Nun kauft sie ein, nach ihrem Sinn
und hat dadurch schon ein fesche,
illustre Sammlung Unterwäsche!

Denn Herren, die Getragnes kaufen,
sich gern um ihre Wäsche raufen!
Die Trude trägt sie ein beim Lieben.
Aus einem Höschen wurden sieben,

aus sieben nach und nach zweihundert!
Was zwar den Kurt ein wenig wundert,
doch weil der Fußball ihn so bannt,
bleibt Trudes Treiben unerkannt.

Von Kopf bis Fuß neu eingekleidet,
worum sie jede Frau beneidet,
kommt sie daher. Der Kurt ist platt,
was für ein tolles Weib er hat!

Nur eines fragt er sich schon sehr:
Wo hat das Weib den Zaster her?
Doch sie erklärt ihm gern die Welt:
"Ich spare halt beim Haushaltgeld...."

Sextett

Weil ich mal gern was Neues hätt,
tret ich heut ein in ein Sextett:
Man bläst auf Blech, man bläst auf Holz -
die Blaserei macht froh und stolz!

Nur nach der dritten langen Probe
frag ich: Gibt's keine Garderobe?
Denn eigentlich wär's an der Zeit,
dass man textil sich mal befreit.

Das Vorspiel war ja toll im Klang,
nur langsam dauert's mir zu lang!
Man könnte jetzt zur Sache kommen.
Drauf schweigt die Runde. Ganz beklommen

erklärt man mir: Du liegst daneben!
Hier kann's nur *alte Meister* geben!
Nur *alte* Meister, keine *jungen*?
Der Seitenhüpf ist glatt misslungen!

'Nen Alten hab ich doch zu Haus –
und der zieht sich von selber aus!

Kussologie der Tiere

Was wir mal endlich klären müssen,
ist, wie sich denn die Tiere küssen!
Mit Anmut oder Leidenschaft?
Ein Elefant hat Heidenkraft!
Der wird vielleicht beim Rüsselküssen
auf fremde Füßel achten müssen....

Der Kuss der Spinne ist verwoben –
Giraffen küssen sich nur oben.
Das Nashorn – dass man es nicht reite! -
dreht stets beim Kuss den Kopf zur Seite.
Ein Krokodil, küsst es aus Not,
beißt auch den Liebespartner tot!

Küsst dich ein Pelikan – verreckt !-
dann hat er dich gleich eingesteckt!
die Schlange - durch gespaltne Zung -
küsst dich von links **und** rechts, mit Schwung.
ganz einfach hat es, bitte sehr,
beim Küssen der Ameisenbär:
Der wickelt sich mit dem Organ
um dich, wo immer er nur kann!

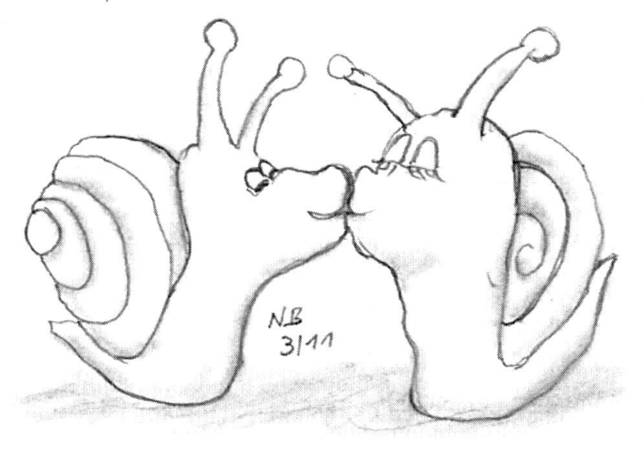

Die Schnecken, von Natur aus weichlich,
sie nehmen dafür Zeit sich reichlich!
Nicht so der Madenhacker: Kurz
hält der den Kuss. Ihm ist's wohl schnurz.
Und wie küsst jetzt der Bonobo?
Mit Lust – und immer auf den Po....

Drum, lieber Schatz, lass ich's nicht gelten,
küsst du mich lustlos, fad und selten!
Fehlt's dir vielleicht an Phantasie?
Dann schau ins Tierreich! Machs doch wie...

Sah ein Knab ein Höslein weh'n

Sah ein Knab ein Höslein wehn,
Höslein auf der Leine,
lief er schnell, es nah zu sehn:
Wäsche, ach, wie feine,
winkte da im Morgenwind,
Stoff, aus dem die Träume sind.
Höslein, Höslein, Höslein rot,
Höslein an der Leine.

Knabe sprach: Ich fasse dich,
Höslein an der Leine!
Es könnt' sein, du passt auf mich,
ich hab schlanke Beine!
Mache meine Träume wahr,
du erregst mich sonderbar!
Höslein, Höslein, Höslein rot,
Höslein an der Leine.

Und der wilde Knabe nahm's
Höslein von der Leine,
den BH auch, ihn überkam's.
Lust, ganz ungemeine,
packte ihn, er spürte Glut,
wollte tun, was man nicht tut –
Höslein, Höslein, Höslein rot,
Höslein an der Leine.

Sie denkt so laut!

Sie denkt so laut! Die halbe Nacht
hab ich kein Auge zugebracht.
Ihr klappert das Gedankenraster
wie Pferdehuf auf Kopfsteinpflaster,
spielt „Rush our“ und Stadtverkehr.
Sie denkt so laut! Ich kann nicht mehr!

Sie denkt so laut! Mir tropft der Schweiß
herab vom Kopf, mal kalt, mal heiß.
Ist es Manie? Treibt sie die Flause?
Ach bitte, gönn uns eine Pause!
Ich kann nicht schlafen, wenn du denkst,
dir innerlich den Kopf verrenkst,

bis dass der neue Tag anbricht!
Sie denkt so laut! Und mein Gesicht,
es ist zerfurcht von dem Gedenke –
was schmiedet sie für üble Ränke?
Wem droht sie an des Himmels Zorn?
Sie denkt so laut! Ich bin verlorn!

Dann naht der Morgen. Schaumgeboren
liegt sie mir fröhlich in den Ohren:
„Ach Liebster,“ sagt sie, “heute Nacht
hab ich mal ein Gedicht gemacht……“

Woran liegts denn?

Die Liese sagt: "Es liegt am Weinstein,
dass du nicht denken kannst wie Einstein.

Dass du nicht schön bist wie Apoll,
das liegt am Bier! Dein Bauch ist voll.

Es liegt am Schnaps, dass du jetzt taumelst
und schräg überm Geländer baumelst.

Doch dass du röchelst wie ein Tier,
das liegt gelegentlich an mir...."

Trute Zweisamkeit

Ein Truthahn und ein Truthuhn,
die wollten sich mal gut tun.
Drum sprach er zu ihr leise:
"Wir machen eine Reise
ins ferne, schöne Trutistan,
noch heute, mit der Eisenbahn!"

Doch als sie ihre Koffer nahmen,
erbosten sich die andern Damen:
"Warum denn bloß die eine?
Ihr zwei fahrt nicht alleine!"
So fuhr auf Urlaub dieses Jahr
die ganze, muntre Vogelschar.

Na, das war ein Gegacker!
Der Hahn ertrug es wacker.

Ein hoffnungsloser Fall

Nun dichte ich schon viele Jahre
und bin noch immer nicht ganz dicht.
Verzweifelt rauf ich mir die Haare:
Noch dichter werd ich einfach nicht!

So mancher nennt sich selber "Dichter";
mit andern Worten ein "Po - et".
Da muss ich passen! Nie kann ich da
verstopft sein! Nicht mal bei Diät.

Auch Mund und Ohren stehn mir offen,
die Augen selbst, den halben Tag.
So geht's doch vielen! Das lässt hoffen.
Weshalb ich mich nun leise frag:

Was ist so dicht an den Poeten,
dass man sie "Dichter" nennen kann?
Vielleicht, wenn sie die Klappe halten?
Sie tun's nur selten, dann und wann.

Ich selber mühe mich schon Jahre
und bin noch immer nicht ganz dicht!
Denn, von der Wiege bis zur Bahre:
Die Klappe halten kann ich nicht!

Höflicher Brief eines Künstlers an seinen Kritiker

Werter Herr Korinthenkacker!

Sie erklärten mir heut wacker
dieses Werk sei einfach Mist!
Doch die Wahrheit (meine) ist:
Dieses Werk war Obsession!
Und: Was wissen Sie davon?

Was ich fühlte: Trauer, Wut,
Freude – ach, ich fand es gut.
Wer dafür empfänglich ist,
sieht auch mehr – und hintern Mist.
Darum muss ich leider sagen:
„Unempathisch“ ihr Betragen!

Ist das Leben denn perfekt?
Leider sind Sie unbeleckt
von Erkenntnis aus dem Innern.
Daran möcht ich Sie erinnern.
Denn Sie hängen nur am Schema,
Ihnen ist das angenehmer.

Meine Freude an den Formen
fügt sich nicht in diese Normen,
misst sich nur am eignen Maß
und hat Spaß dran, einfach Spaß.

Junger Dichter übt
(ein Morgengedicht)

„Rötlich färbt sich nun die Schale,
die die Sonne tief im Tale
eintaucht in ihr zartes Licht ......"
Wie geht's weiter? Weiß ich nicht!
Schimmernd färben sich die Schatten,
froh erwachen die einst Matten..."
Bleib gediegen! Nicht zu schlicht!

„Liebchen, willst du mir gewähren
Freundschaft? Dass dich meine Zähren
in das Land der Träume führn....?"
Leidenschaft! Man muss sie spürn!
Hat die Nacht dich mir errungen,
sind die Lieder auch verklungen,
will ich an dein Herz nun rührn......!"

Quatsch! Das kann man nicht verkaufen!
Ach, es ist zum Haare raufen:
Vieles wurde schon gesagt,
ausgedacht und hinterfragt,
von der Liebe und der Sonne
und der minniglichen Wonne!
„Nun wohlan, der Morgen tagt......"

Kommen wir nun zum Ergebnis:
„Welcher Zauber, welch Erlebnis
naht dich mir, gewährt mir Gunst?"
Mist! Das hab ich wohl verhunzt!
Dieser ganze dicke Pathos
passt ja nur noch auf Berg Athos,
weil danach kein Schwein heut grunzt!

Konjunktiefpunkt

Die Grammatik ist ein Luder!
Neulich fragte mich mein Bruder:
„Sage mal, du sprachgewandte
Besserwisser – Reimetante,
kannst du auch in Möglichkeiten
sprechen, die mir Spaß bereiten?

Spröchest du die reine Wahrheit
voller Leidenschaft und Klarheit,
geube man dir sicher Preise,
zählte dir so manche Reise!
Führst nach Frankfurt du, zur Messe.
schröbst du später in der Presse

Leitartikel und Kolumnen!
Brüchtest Blöde zum Verstummen,
hüttest du mediales Sagen!
Niemals *wöllte* mans beklagen.
Ich, als mit dir eng verwandt,
wör dann ebenso bekannt!"

„Liebster Bruder," sprach ich gütlich,
„Just relax - und nimms gemütlich!
Lass vor allem dein Getue,
denn da ziehts mir aus die Schuhe!"
und (nun lächelte ich schief):
Sprüch **nie mehr** im Konjunktief!"

Zerquatscht

Ich fahr in der Trambahn,
denn draußen ist's nass.
Es regnet in Strömen -
kein Boden im Fass!

Da ist es wohl besser,
ich bleibe hier drin,
mir Schnupfen zu holen
macht grad keinen Sinn.

Und schon geht die Tür auf!
Wer kommt denn daher?
Frau Meier mit Tüten,
die sind groß und schwer.

Sie setzt sich zu mir. Nie
warn wir eng bekannt.
Doch schon legt sie los, sie
ist voll bis zum Rand:

"Ich kann Ihnen sagen,
das war heut ein Tag!
Mein Uwe ist krank,
nimmt mich voll in Beschlag!
Der schickt mich zum Anwalt,
ins Amt, auf die Post!
Die Werkstatt ruft an -
unterm Auspuff war Rost.
Und Nina - sie wissen schon - unsere Kleine
hat jetzt Allergie und es jucken die Beine!
Dann musste ich dringend
zum Aldi noch laufen -
ein Wahnsinn, die Leute dort,
was die alles kaufen!
Drum werkt heut die Putzfrau
im Haus ganz allein!
Mir steht's bis zum Halse,
ich könnte glatt schrei'n -
und soll doch bis Samstag Einladungen schreiben.

Es sind fuffzig Stück! Ich will's nicht übertreiben.
Wir machen da Party für Jens, der kommt heim!
Er ist doch beim Bund, hat mal Ausgang, ach fein!
Doch all dieser Stress und dann noch die zwei Hunde!
Wergehtdenn,verdammt,heutmitihnendieRunde?Dasmachtdochsonst Uwe,undderistjakrank......."

Ich werd immer kleiner
und rutsch von der Bank
und hechte zum Ausgang,
hinaus in den Regen.

Jetzt krieg ich halt Schnupfen.
Doch **der** ist ein Segen.....

Murks

Alljährlich fanden Gelehrte:
Entbehrlich landen Entehrte.
Gefährlich standen Gefährte.

Gelegentlich saunen Posaunen,
unwesentlich raunen Alraunen,
versehentlich lauern die Launen.

Doch ewig reimen die Richter,
unendlich schleimen die Schlichter,
andauernd greinen Gesichter.

Dieses Gedicht
schrieb ich doch nicht
einfach stracksschnurks?
Nö!
Trotzdem ist's Murks!

Themensuche

Ich sitze da, bin ganz allein.
Ein Haar fällt aus. Mir fällt nichts ein.
Das Glas fällt um – verdammter Mist!
Ob dazu was zu sagen ist?

Nein, zu banal. Ich bin allein.
Ich könnte mal - es juckt am Bein –
Sonette schreiben oder Stanzen.
Doch erst gieß ich die Zimmerpflanzen

und koch mir Tee. Es drückt die Stille
mir aufs Gemüt. Gelähmter Wille
passt gar nicht für Humorgedichte.
Wenn ich jetzt mal die Zetteln schlichte,

dann fällt mir hoffentlich was ein!
Zu dumm – ***warum*** bin ich ***allein?***
Er hat mir's doch ganz fest versprochen…!
Ich hab den Braten längst gerochen:

Der lügt doch wie gedruckt, der Fiesling!
Zum Trost ein kleines Fläschchen Riesling
wird leicht mir das Gemüt erheitern
und meinen Horizont verbreitern.

Was schreib ich also? Von der Liebe?
War er bei ihr, dann setzt es Hiebe!
Von Sehnsucht, Leidenschaft, Begehren?
Lässt dieser Lump sich je bekehren?

Ach ja, von alldem ***könnt ich schreiben***!
Doch ärgert's mich, drum lass ich's bleiben
und schreibe morgen übers Wetter!
Belanglos zwar, doch sicher netter….

Fidele Felidae

Jetzt mach ich es wie meine Katze:
Ich fress mich fett und bleib zu Haus.
Der Schlummerplatz auf der Matratze
ist ideal, verdient Applaus!

Ich geh nur noch ganz kurz zum Pinkeln
des morgens vor die Eingangstür,
dann schärfe ich am Zaun die Krallen,
brauch nie mehr Geld für Pedikür!

Ich lasse mich geduldig kraulen
von aller Welt und jedermann,
hör mir das Jammern an, das Maulen -
man gibt mir ja zu fressen dann!

Man braucht von mir sonst nichts zu wollen:
Ich bin ja nur die blöde Katz!
Wer mich sekkiert, dem darf ich grollen,
indem ich sein Gesicht zerkratz!

Ich muss auch niemals mehr zur Arbeit,
und wasche keine Wäsche mehr:
Ich lecke mich gern selber sauber,
mich malträtiert auch kein Frisör!

Drum mach ich's jetzt wie meine Katze
und schlafe sieben Mal am Tag!
Denn eingerollt beim Ofenplatze
lebt es sich sorglos, ohne Plag!

Flüstersauger

Mein Flüstersauger saugt ganz leise!
Jetzt zieh ich auf dem Teppich Kreise:
Ich sauge hin und sauge her -
man hört beim Saugen mich nicht mehr!

Ganz leise wie ein Schmetterling
saugt nun mein neues Wunderding.
Selbst Babys schmatzen ja beim Trinken,
wenn saugend sie in Schlaf versinken.

Geliebter! Willst du für mich taugen,
dann musst du *leise* an mir saugen.
Auch solltest du dir etwas merken -
mein Sauger kann es in drei Stärken:

Saugt „strong“ und „medium“, „extra soft“.
Da saugt man gerne, doppelt oft!
Nichts staut sich mehr in feinen Ritzen.
Ich saug im Stehen oder Sitzen,

beim Kochen, Fernsehn und beim Bügeln.
Die Sauglust ist nicht mehr zu zügeln!
Dreh ich ihn um, dann ist's auch schön:
Dann wird der Sauger noch zum Fön!

Er bläst ins Ohr mir zärtlich, warm -
mein Flüstersauger, der hat Charme!
Nun rüste nach, sonst wird's ein Jammer:
Sonst musst DU in die Besenkammer...

Frühlingsgedanken einer Frau

Rosen, Nelken, Tulpen,
Erde in den Stulpen,
Schneckenkorn im Schuhprofil -
das war nur ein Kinderspiel!
Unkraut hab ich ausgerissen
(und die Lilie am Gewissen)
Sei's drum, wie es eben sei:
Doch das Beet ist unkrautfrei!

Nelke, Tulpe, Rose:
Ein Loch ist in der Hose!
Das stammt wohl vom Rosendorn?
(eines hinten, eines vorn)
Auch der Spaten machte schlapp:
Brach doch glatt der Stiel mir ab!
Auch egal, kann ja passiern!
Muss noch rasch vertikutiern.

Rosen, Tulpen, Nelken.
Ich bin ziemlich schnell. Kenn
leider keinen Pensionist,
der auch Hobbygärtner ist!
Daher muss ich selber ran.
Praktischer wär schon ein Mann!
(Aber der will ja wahrscheinlich
auch woanders graben. Peinlich!)

Rosen, Nelken, Tulpen,
dann schon lieber Stulpen
voller Gras und Erde -
und Herr am eignen Herde!

Geadelt!

Ein Mensch, wir nennen ihn mal Nils,
sitzt in der Kneipe, trinkt sein Pils,
und legt, bedingt durch Malz und Hopfen,
grad mächtig los beim Sprüche - Klopfen.
Wofür er heut sich wieder hält,
dem Nachbarn glatt den Tag vergällt:

Er hätte Abitur gemacht,
könnt siebzehn Mal in einer Nacht,
wär schon in Singapur gewesen,
auch in der Zeitung war zu lesen
von ihm manch großes Lobesding -
und überhaupt, sein Leben fing
dereinst im Adelsstande an,
er - Nils- sei doch der bessre Mann!

Das käm allein vom blauen Blut.
Da packt den Nachbarn schließlich Wut
und gleich drauf haut der – auch nicht faul –
dem Nils mal eine übers Maul,
aufs Auge und auch in die Rippen.
Schon sieht man Nils nach hinten kippen.

Gottlob, er schweigt! Die Ruh kehrt ein.
Doch hat's geholfen? Wirklich? Nein!
Der Nils, der mühsam hoch sich rappelt,
nun schwankend hin zum Spiegel tappelt.
Er sieht sein Auge, jetzt ein „Veilchen“,
denkt nach und lallt nach einem Weilchen:

„Ich wusst es doch, jetzt schau mal hin,
wie ich von blauem Blute bin!“

Gedanken eines Mannes beim Autowaschen

Erst mal muss der ganze Dreck
vom Dach und von den Felgen weg.
Um Gottes Willen - sachte wischen!
Doch gründlich hier, auch in den Nischen.

Und die sagt immer, ich wär grob.
Sieht man's am Wagen nicht? Als ob
ich mit der Zunge ihn polierte.
Wenn sie sich jemals int'ressierte,

könnt ich ihr bei 'ner Ausfahrt zeigen,
wovon die Dichter nobel schweigen.
Jetzt her den Schlauch und dann mit Druck....!
Wieso glaubt sie, ich wär "ruck-zuck"?

Hinweggepustet Salz - schon hart? -
mit recht viel Schaum. Komm ich in Fahrt,
dann gibt's bei mir kein Zögern, Halten!
Sie sagt, sie kann sich nicht entfalten

an meiner Seite. So ein Quatsch!
Verdammt - die Füße stehn im Matsch.
Die Weiber müssen immer nerven,
andauernd ihre Krallen schärfen.

Ganz mild, nur lauwarm, wird gespült,
das gibt die Glätte, die man fühlt!
Gleich nachher kommt die Politur.
Ach, Annegret, was hast du nur?

Schau, wie er blitzt und blankt und blinkt!
Und wenn die ganze Welt versinkt:
Das Wichtigste ist Annegret.
Sag, weißt du, wo das Hartwachs steht?

Ich häng im Netz

Ich häng im Netz wie eine Fliege.
Die Neugier hält mich fest wie Leim!
Ob ich die Leidenschaft besiege?
Mitnichten! Ich verbring daheim
so manche ungezählte Stunde
weltabgewandt im Internet,
das bringt mir zwar von weither Kunde,
nur komm' ich viel zu spät ins Bett!

Nun bleibt die Katze ungefüttert,
ich gieß auch keine Blumen mehr,
sogar mein Mann zeigt sich verbittert
und oftmals bleibt der Kühlschrank leer.
Die Briefe werden nicht gelesen,
die Nachbarin wird nicht gegrüßt.
Wann bin ich denn spaziern gewesen?
Hab meine Fitness eingebüßt!

Mein Freundeskreis hat sich gelichtet,
liegt das an denen? Haben sie
Kontaktbedürfnis umgeschichtet
auf „Virtual Reality"?
Bald hockt ein jeder vor der Kiste
und klopft was in die Tastatur.
Das Leben ist doch viel zu triste!
Im Internet, da zeigt sich nur,

wozu wir alle fähig wären,
zög' einer mal den Stecker raus!
Bald wird man virtuell gebären,
das sieht doch gleich viel besser aus!
Ich seh' nur noch, was ich gern möchte,
mein Horizont wird eng und schmal.
Tatsächlich ist die Welt, die echte,
mir doch in Vielem zu real.....

Beim Wäschesortieren

Ein Hemdchen, ein Höschen, ein Polsterbezug,
ein Tischtuch, zerknittert. Ich war wohl nicht klug?
Aus Leinen, das bockig sich mir widersetzt,
'ne Jeans, wo das Handy war, leicht durchgewetzt.

Wo bleibt jetzt mal, bitte, die Decke zum Kissen?
Ein Fleck auf der Bluse? Jetzt würd ich gern wissen,
warum hat das Pulver ihn nicht rausgewaschen?
Ein Sweater mit Aufdruck und Kängurutaschen,

ein Hemdchen, ein Höschen, die wollige Weste
und - kreisch! - auf dem Pulli noch Taschentuchreste!
Wie ist denn das wieder zur Wäsche gekommen?
Seufz! Wer hat den Lappen nicht gleich rausgenommen?

Ein Euro – hurra - den nehm ich mir selber,
ein Hemdchen, ein Höschen, ein Socken - ein *gelber*???
So einsam, du schöner - wo ist denn dein Zweiter?
Von deiner Art fristen schon ohne Begleiter

gar viele ihr Leben in unterster Lade!
Nicht tragbar, da einzeln, zum Weghau'n zu schade -
Und ab und an wird ja noch manches gefunden:
Die seidige Bluse, im Rücken gebunden.

Ein Hemdchen, ein Höschen, die halblangen Strümpfe -
Wohin sind die Zeiten für nächtliche Trümpfe?
Voll Leidenschaft, Lust, kein Verlangen gezügelt?
Gewaschen, gewrungen, getrocknet, gebügelt....?

Jetzt steh ich beim Eisen, das ist ja noch heiß -
ein Hemdchen, ein Höschen - und zahle den Preis....

Im Kaffeehaus

Erst unlängst dachte ich: Na he –
geh doch mal wieder ins Kaffee!
Dort kannst du herrlich dich entspannen
von all den Pechs und Pleiten, Pannen,
die dir das Leben und die Welt
andauernd vor die Nase hält.

Gesagt, getan! Ich saß im Winkel,
rechts neben mir zwei feine Pinkel,
vor mir zwei Mädels, Mitte zwanzig -
und links ein Künstlertyp, leicht ranzig
im äußeren Erscheinungsbild.
Ich trank Espresso, schwarz und mild.

Da hört ich schon ein Handy läuten.
Ich musste es nicht lange deuten.
Denn schon erfuhr ich – wider Willen:
„Der Stadtrat spinnt! Der hat doch Grillen!
Da legen sich die Grünen quer
und torpedier'n den Stadtverkehr…"

„Nein, nein – wir müssen erst mal schauen,
dass wir uns finden! Das Vertrauen,
das kommt doch nicht so über Nacht.
Und außerdem ist mein Verdacht,
dass er's mit dieser Lisa treibt.
Dann soll er bleiben, wo er bleibt!"

verkündete vor mir das Mädel
und schüttelte den blonden Schädel.
Der Künstler links ließ einen Fluch
und schnäuzte sich ins Taschentuch,
geräuschvoll und mit wenig Schämen.
Ich wollte grade Zucker nehmen,

da sagte rechts der andre Feine:
„Dem Kretschmer nehmen sie die Beine.
Hat Zucker! Schon seit vielen Jahren!
Er wollte nie an Süßem sparen.
Mir gehn sie morgen an die Mandeln.
Doch ich lass mich nicht gern behandeln....“

„Du musst da wirklich an dich denken!
Da kann er dir wer – weiß - was schenken!
Das ist doch ein Vertrauensbruch...!“
Ich guckte links aufs Taschentuch.
Nun popelte er mit den Fingern
und winkte den zwei jungen Dingern!

„Wir brauchen rasch einen Bescheid!
Im Grunde bin ich's ja schon leid:
Was hier die Gremien verbocken
an Geld! Da bleibt kein Auge trocken....!
„Vielleicht braucht ihr 'ne Therapie?“
kam nun der Rat von vis-a-vis.

Links Außen blickte auf die Uhr
und malte eine kleine Spur
aufs Tischtuch, zarte, grüne Schlieren:
„Den Typen könnt ich massakrieren...!“
Ich hatte nun genug geseh'n,
stand auf und wandte mich zum Geh'n.

Seitdem sitz ich nur noch zu Hause,
genieße meine Kaffeejause
allein. Ohne Geräuschkulissen
verschlinge ich die Leckerbissen!
Dann hör ich im Kaffeehaus nicht,
wie sich die Welt den Kopf zerbricht...

Kaffee

Der Tag neigt sich allmählich in sein letztes Drittel,
da fasst mich Unrast, hin zur Uhr ich seh.
Erlösung naht! Denn ich ergreif die Mittel:
Jetzt ist es Zeit für mich – und für Kaffee!

So braun, so warm, mit einer kleinen Obershaube,
ein wenig Zucker ist wohl auch erlaubt.
Du Lebenselixier, an das ich glaube,
stärkst mich an Geist und Sinn – und überhaupt!

Ein Wohlgesang sei jenem Mann gesungen,
der dich zuerst erfand. War's eine Frau?
Von Dankbarkeit bin ich zutiefst durchdrungen,
wann immer ich mir einen Becher brau.

Espresso, Cappuccino, große Braune,
Melange, auch Irish Coffee, Eiskaffee-
Wie andachtsvoll ich all die Namen raune,
sobald ich nur ein Päckchen Bohnen seh!

Was einmal Ärzte mir verbieten dürfen,
das weiß die Zukunft, schreibt ein andres Buch.
Nur meinen Kaffee, bitte, lasst mich weiterschlürfen!
Entwöhnt mich nie! Wagt niemals den Versuch!

Der Tag neigt sich allmählich in sein letztes Drittel.
Der Becher leert sich, noch ein kleiner Schluck –
gepriesen sei das braune Lebensmittel!
Viel fehlt mir nicht mehr zum vollkommnen GLÜCK!

Lob der Kugel

Kugelrund ist unsre Erde,
kugelrund ist ein Ballon,
kugelrund vom Essen werde
ich nicht mehr, das bin ich schon!

Kugelrund sind Fisches Augen,
kugelrund ist manches Loch,
kugelrunde Dinge taugen
für ein Kugellager doch.

Kugeln nimmt man oft zum Schießen,
jede Größe, ganz egal,
Mottenkugeln aber müssen
nur wo liegen im Regal.

Kugelfische sind auch spitzig,
Kugelschreiber sind nicht rund,
Kugelblitze treffen hitzig,
wir zerkugeln uns hier und

Kugelstoßen kann man lernen,
Kugelwellen sind im Raum,
aus dem Kugelfang entfernen
wir den Kugelhagel kaum.

Eine Kugel war die Zelle,
wo das Leben sich erfand,
darum sei an dieser Stelle
das Lob der Kugel auch genannt.

Nichts für Vegetarier

Ein Zander biss – vielleicht aus Mangel
an Unterhaltung an die Angel,
wobei er, noch im Übermut,
sich dachte: „Das war nicht so gut!"

Den Haken in den Kiemenspalten
denkt er: „Hätt ich doch's Maul gehalten!"
Dem Angler macht das kein Gewissen,
denn schau: Es hat was angebissen!

Es hängt der Fogosch an der Angel
und zappelt - wegen Wassermangel.
Vorbei sein Leben defiliert:
Gerade wird er filetiert.

So folgenschwer war seine Panne!
Gewürzt schwenkt ihn jetzt in der Pfanne
mit wohl geübtem Schwung der Jochen -
der Sohn vom Wirt, der lernt grad kochen.

Er kennt den Fisch ja nicht persönlich.
drum kränkt's ihn auch nicht, für gewöhnlich.
Was vorher war, ist ihm egal.
Der Zander wird ein leckres Mahl!

Und jetzt kommst DU dazu, als Gast,
schon hungrig und vielleicht in Hast,
um dich gemütlich hinzusetzen
zum Gabel-, Löffel-, Messerwetzen.

Vielleicht isst du auch etwas schneller -
was lag denn da auf deinem Teller?
Sag danke, sonst vergisst du fast,
WEN du da aufgefressen hast.....!

Lass es dir schmecken, doch bedenke:
Das Leben machte dir Geschenke.....

Malzkaffee

Du verdammter Malzkaffee
rinnst nicht durch die Tüte!
Was ich bettle oder fleh:
Hättest du die Güte,
mir den Filter ausnahmsweis
nicht gleich zu verstopfen?
Bockig ist der Malzkaffee -
denn er bildet Pfropfen!

Abgesehen davon schmeckst
du mir nicht die Bohne.
Da du Ärgernis erregst,
könnte ich glatt ohne
dich und deinesgleichen sein!
Wie vermiss ich Latte,
Cappuccino und all die,
die ich früher hatte....

Kein Kaffee im ganzen Haus!
Malz füllt nicht die Leere:
Sieht zwar braun und lecker aus -
alles nur Chimäre!
Seufz! Man schickt sich in das Joch,
trinkt halt zwei, drei Schalen.
Demut lernt sich schließlich doch,
leider am Banalen....

(M)Ein Wahnsinn bei der Arbeit

Ich bin so ein Schussel –
- 'ne dämliche Vettel -
was ich immer suche!
Vor allem so Zettel,

wenn's wichtige sind:
Die verleg ich sofort!
Erst leg ich sie hierhin,
dann dahin, dann dort.

Wo sollen sie bleiben,
dass ich nicht verliere
die dringenden Schreiben,
urgente Papiere?

Die Liste, handschriftlich,
und noch nicht kopiert -
wär noch zu ergänzen,
na klar, es pressiert!

Wo hab ich sie nur?
Grade war sie noch hier!
Von ihr keine Spur!
Dieses blöde Papier!

Im Fach, in der Mappe
hab ich schon geguckt.
Das wär eine Schlappe!
Ja, grad wie verschluckt –

Gibt's Hexen und Trolle,
die mir eins auswischen,
und mir Protokolle
mit Rechnungen mischen?

Belege verkommen
und Briefe verschwinden?
Das kann doch nicht wahr sein -
ich kann sie nicht finden!

Dabei geb ich immer so mörderisch acht!
Ich weiß nicht, wer hier all die Unordnung macht....?

Pech gehabt!

Eine Gelse namens Else
stach bevorzugt nur in Hälse.
Unterm Haaransatz beim Kragen
fand sie stets ihr Wohlbehagen.

Leider aber warn Heinz - Frieder
Elsenstiche sehr zuwider!
Darum schlug er voller Tücke
Gelse Else in zwei Stücke.

Mancher Blutfleck an den Wänden
zeugt von bösen Tatbeständen.
Hätt die Else das gerochen,
hätt sie ihn ins Knie gestochen.

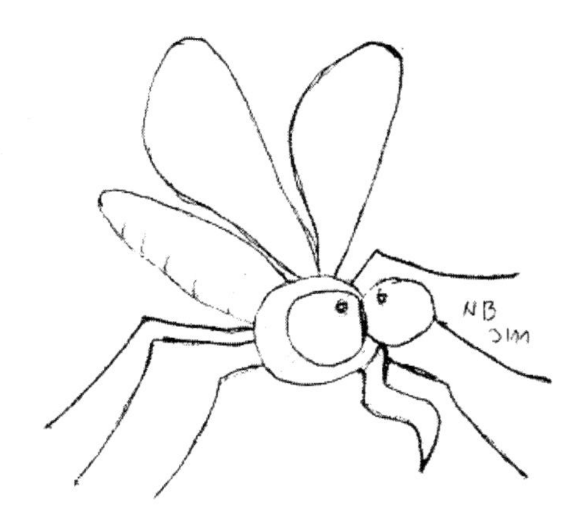

Olfaktorische Bedrängnis

In der U-Bahn herrscht Verhängnis,
olfaktorische Bedrängnis:

Eine Dame mit Parfüm
riecht so stark, dass ich mich krümm!
Weiter hinten sitzt ein Hüne,
mampft mit Menschenfressermiene

Fritten, eine Bockwurst gar -
ich weiß, dass er im Bierzelt war:
Beim Vorübergehn erschnüffelt
hab ich, wie er danach müffelt!

Dann begegnet mit ein schroffer
Blick: Den neuen Aktenkoffer
hab ich leider übersehn -
Oh pardon! - der riecht noch schön.

In dem Buggy knapp daneben
kräht das junge Menschenleben
und vermischt den Lederduft
ungeniert mit Windelluft!

Also geh ich ein Stück weiter -
vor mir steht ein großer, breiter
Rücken (Wrestling oder so),
macht mich aber auch nicht froh:

Kommt der Kerl grad vom Turnier?
Ungeduscht - was will der hier?
U – Bahn - Fahrn ist echte Fron!
Da, Erlösung: Endstation!

Nichts wie raus und weg von allen,
die der Nase nicht gefallen.
Rein ins Taxi, ach - ein Traum....
O Gott, hier riecht's....! Ein Wunderbaum!

Schimmlisch!

Jeder hat so seinen Fimmel:
Müller, auf der Jagd nach Schimmel,
will das ganze Haus durchstöbern,
um die Mängel, eh sie gröbern
Schäden an den Wänden weichen,
mit dem Schimmel - Ex zu streichen.

Und so sucht er in den Ecken,
wo die Flecken sich verstecken:
Böser Feind, du sollst verrecken!
Er will jeden Punkt entdecken!
Darum linst er scharf, beäugt,
was ihm Hinterhalt bezeugt:

Rasch bepinselt mit Pomade!
Dafür ist ihm nichts zu schade:
Nachbars Gaul (man kann sich's denken):
Ihm muss er Beachtung schenken!
Auch im Kühlschrank, dieser Brie -
sehr verdächtig, irgendwie....

Schließlich kommen irgendwann
auch die Pfifferlinge dran.
Pilz bleibt Pilz! Wer kann's verstehn?
Nicht verschont er seine Zeh'n.
Jeder Schimmel wird verleimt.
Endlich auch, was sich drauf reimt:

Und so sprüht er in den Himmel
und zuletzt auf seinen P . . . . . .
Doch das hat er sehr bereut:
Denn dort brennt es ihn bis heut.

Soll ich jetzt – oder nein – oder vielleicht doch, jaaa???

Ich weiß genau, was mein Problem ist,
obwohl es mir nicht angenehm ist:
Muss ich mich einmal rasch entscheiden,
dann schwanke ich! Wie soll ich beiden
Optionen, die ich hab, gerecht sein?
Mach ich was falsch, dann wird es schlecht sein!

Und woher sollt ich Ärmste kennen,
was richtig ist? Ich könnte flennen!
Denn, wie man's macht, ist's auch verkehrt -
und das erhöht den Gegenwert
des anderen Entscheidungsstranges!
Es hilft nichts! Schreib ich auch ein langes

Gedicht: Die Qual bleibt mir erhalten
wie Flöhe in den Kleiderfalten!
Drum denk ich hier in meinem Sinne:
Soll ich jetzt oder nicht? Vielleicht? Hilfe, ich spinne!
Es könnte sein, oh nein, oh doch! - So ist das eben:

Ach, jedem Anfang wohnt ein Zaudern inne,
das mich verstört und das mir hilft zu kleben.....!

Sommerliche Kellerphobie

„Im Keller wär bei dieser Hitze
der Aufenthalt tatsächlich Spitze,
wenn nicht die Spinnen, Käfer, Asseln
gekonnt dir den Genuss vermasseln!

Auch knackst es manchmal in den Ecken -
warum, ist nirgends zu entdecken.
Dann pfeift ein Luftzug jäh ums Ohr!
Das kommt dir etwas seltsam vor.

In jedem Winkel ist's so finster.
Ein Schatten? Hinterhältig grinst er!
Natürlich gibt's da nicht Gespenster.
Nur leider auch zu wenig Fenster!

Und dort - beim Schrank riecht es nach Moder!
Was liegt davor? Ist's ein maroder,
zertretner Wurm, den das Verderben
ereilte, um grad hier zu sterben?

Verdammt, wo steht denn jetzt das Bier?
Ach, wär's doch bloß gemütlich hier!
Erfrischung lockte zum Verweilen,
doch werd ich trotzdem mich beeilen......“

Rasch hat die Flaschen sie genommen,
ist in die Hitze froh entkommen.
Was nützt die Kühle im Verbund
mit banger Seele dunklem Grund?

Staub

Das Leben wird vom Tod beraubt,
er nagt an ihm, bis es zerstaubt.
So ging es ausnahmslos noch allen:
Ins Atomare sind zerfallen

Herr Schiller, Goethe, Karl der Große -
Bescheidene wie Rücksichtslose.
Selbst Feldherrn, die in vielen Kriegen
obsiegten, mussten unterliegen.

Der Umstand wär soweit nicht neu,
nur frage ich mich manchmal scheu,
warum in jedem Winkel hier
die Toten liegen, just bei mir?

Es tummeln unterm Bett sich froh
Vergil, Ovid und Cicero.
Im Flur, da balln sich puschelig
Jean Paul und Sartre wuschelig!

Auf Stiege neun im Treppenhaus
ruhn Gogol, Tolstoj ewig aus.
Am allermeisten gruselt's mir:
Capote liegt hinter der Tür!

Woher kommt nur der ganze Lurch?
Beinahe kommt mein Mopp nicht durch!
Ich bin im Tode wie im Leben
von Literaten rings umgeben.

Doch sind *Zerstaubte* mir ein Graus -
drum schüttle ich sie hinters Haus.
Zerfall ich selber auch? Ich glaube,
dann wüsst ich schon, bei wem ich staube.....

Inhalt

Karlchens versammelte Weibergeschichten

(Un)Gereimtheiten